엄마도
'언어재활사'

SLP DDOONG

잠깐!
나이 계산하는 방법

헷갈리는 만 나이 계산하는 방법 알려드리겠습니다.
오늘 날짜를 기준으로 아동의 생년월일을 빼시면 만 나이가 계산됩니다.

	오늘 날짜	2014. 4. 10.
−	아이 생일	2010. 5. 13.
		3세 11개월

10일에서 13일은 못 빼니까 월에서 1빼고 30일을 빌려옵니다. 40에서 13빼면 27일!
월에서 1 빌려줬으니 3이 남죠? 3에서 5 못 빼니까 년에서 1을 빼고 12를 빌려옵니다.
15에서 5를 빼니까 10개월!
2014에서 1을 빌려줬으니 2013년이죠? 2013에서 2010을 빼면 3년!이 남네요.
그래서 3세 10개월 27일입니다. 27일을 한 달로 볼 것이냐 어쩔 것이냐 하는 것은 의견이 분분하지만 저는 반올림합니다. 그래서 3세 11개월입니다.

이 책에는..
대한체
배달의민족 주아체
배달의민족 한나는 열한살체
만화진흥원체
YOON-다정체가 사용되었습니다.

여는 글

"왜? 내가 무슨 죄를 지었길래.."

"내가 무슨 죄를 지었길래
왜 내게 이런 시련이 생긴걸까...
다른 애들 엄마들은
잘 해내는것 같은데...
왜 나만 유독 좌절스러울까..."

이런 생각을 어머님만 하고 계신것은 아닙니다.
다 똑같습니다.
다들 하루에도 열두번씩 이런 생각들 하면서 삽니다.
다만, 다른 집 애들보다 우리 애가
조금 더 예민하고 조금 더 산만하고
조금 더 느릴뿐입니다.
끝이 안날것 같아서 끝이 보이지 않아서
쉬 지치고 더 많이 지칠뿐입니다.

하지만 다른 집 엄마들이라고 지금 어머님보다
더 잘해낼 수 있을까요?
오~ 노노 천만의 말씀, 만만의 콩떡입니다.
어머님이 누구보다 제일 잘하고 계신겁니다.
어머님이니까 그나마 이만큼이라도 하시는겁니다.
그러니 힘들 내세요~!! 부디...!

함께 쓴 뚱이쌤 사단 소개

감각통합 박미영 선생님
청주에 주로 일하시고 아들, 딸 키우면서 항상 미안한 것이 더 많은 보통의 엄마이기도 합니다. 아이들 파악이 빠르고 뚱이쌤처럼 엄마들이 제일 먼저 알아야 한다는 생각에 정곡 찌르기에 능통하지만 뚱이쌤보다는 훨씬 부드럽답니다.

전 성덕대학 감각통합 아동작업치료강의
현 건양대학교 작업치료학과 석사 과정
hahaha299@naver.com.

예술심리치료 임은이 선생님
독일 유학파로 성인에 더 강한 스킬을 갖고 계시지만 아이들까지도 두루 케어가 가능하신 만능 치료사세요. 잘 키운 딸 하나 곧 대학에 보내고 일에 더 매진할 수 있게 됐다는 일벌레!

추계예술학교 한국학과 졸업
독일 함부르크 국립미술종합대학 석사수료
명지대사회교육대학원 예술심리치료학과 석사
한국정보문화진흥원 사이버 범죄예방 미술심리치료 전문강사
현 slpddoong 예술심리치료사
marta0429@hanmail.net

언어치료 이지은 선생님
청주에서 더 이상의 이직은 없다며 뚱이쌤한테 오고 있지 않은 콧대 높은 유일한 미스. 지금은 병원에서 일하고 계시고 아주 이상하고 못된 원장을 같이 만났던 동병상련의 인연으로 여태까지 붙어있답니다. 시끄럽지 않게 온화하고 자상한 미소 뒤 감춰진 카리스마로 아이들을 이끌어주십니다.

나사렛대학교 언어치료학과 졸업
CNC Greenhospital 언어치료사근무
현 열린이비인후과 언어치료사근무
slpjieun@hanmail.net

언어치료 이효진 선생님
제일 멀리 계시네요. 부산에... 제게 카주를 알려주신 인연으로 교육 때 얼굴 한번 보겠다고 먼 길 한 걸음에 와주시던 선생님이세요. 잘생긴 아드님이 둘이나 있으시고 이중언어 아이들을 몸소 체험하고 계신답니다. 노하우 풀라고 거의 협박했는데 순순히 응해주셔서 감사할 따름입니다.

한림대학교 언어병리학과 졸업
부산가톨릭대학교 일반대학원 언어치료전공
전 왈레스기념 침례병원 언어치료사
현 절영종합사회복지관 언어치료사
hehey11@naver.com

언어치료 임경미 선생님
갖고 계시는 편집디자인 기술로 함께 해 주셨어요. 언어치료사 중에 팔방미인이 꽤 있다니까요. 포천에 계시는데 멀기도 하고 아드님들 키우시랴, 치료하시랴 바쁘신 와중에 늘 웃으며 무료봉사해 주신 은혜 잊지 말아야 할 한 분이세요.

한림대학교 언어병리학과 졸업
전 서울탑클리닉 의정부점 부설 서울주니어상담센터 언어치료사
현 임마누엘복지재단 포천시 곰두리두레마을 언어치료사
컴퓨터그래픽운용기능사, 전자출판기능사 자격
creams486@naver.com

언어치료 이의진 선생님
뚱이쌤 이의진입니다. 일 벌리기 좋아하고 사람 모으기 좋아하는 사고 뭉치입니다. 근 10년 은행 경력 포기하고 늦게 공부 시작해 늦된 아이 키우면서 부모 마음까지 공부하고 있습니다. 노하우를 풀지 않는 폐쇄적인 치료 분야에서 노하우를 풀어야 먹고 살 수 있다는 말도 안 되는 짓을 하고 있습니다. 누구에게라도 조금의 도움이 되기를 바라며..

우송대학교 언어치료학과 졸업
가천대학교 특수교육대학원 언어치료학과 석사졸업
늘리미카드, 3단계 이야기 퍼즐 등 다수의 특수치료 교구/교재 개발
현 slpddoong[에스엘피뚱] 대표(청주, 세종, 오창)
현 뚱이쌤(출판사) 대표
현 우송대학교 특수교육대학원 언어치료학과 석사과정 교구/교재 개발 강의
현 우송대학교 임상실습지도
slpddoong@salz.co.kr/010-5641-6636

차례

PART.02 소통하며 놀아요

PART.03 집중하며 놀아요

PART.04 재미있게 알아요

PART.05 또박또박 말해요

PART.07
감각통합놀이

PART.08
미술심리치료

PART.09 장난감 및 교구 소개

부록 워크북

우리아이 잘 크고 있나요?

12개월 이전
- 기저귀가 젖으면 갈아달라고 울음으로 표현해요.
- 익숙한 얼굴과 목소리에 반응해요.
- 엄마가 까꿍 해주면 활짝 웃어요.

8개월~15개월
- '주세요, 먹을 거야, 우유야, 네, 싫어'이런 말들을 잘 사용해요.
- 엄마의 관심을 끌기 위해 의도적인 행동을 하거나 소리를 내요.
- 제스처와 말을 적절하게 사용해요.

16개월
- 엄마랑 말하고 싶어하는 느낌이 있어요.

19개월~22개월
- '이거는 토끼가 먹는 거야' 하는 식의 말을 해요.
- '이거 뭐야? 우유 어딨어?' 등과 같은 질문을 해요.

23개월
- 엄마의 행동이나 말에 적절하게 반응해요.

24개월
- '뭐라고? 넘어질 것 같아, 그거 줘, 나 슬퍼, 배고파'같은 말을 해요.

언어장애가 뭐죠?

1. 사용하는 단어가 몇 개 안되고 겨우 돌려써요.
2. 단어만 나열하면서 말해요.
3. 유치원에서 있었던 일들을 문장으로 말하지 못해요.
4. 사용하는 단어들이 또래보다 어려요.
5. 우리 아이가 36개월을 넘기고 있어요.
6. 인지, 청각 등 다른 것에 문제는 없어 보여요.

아이가 말을 더듬는 것 같아요

1. '어어어어엄마' 이렇게 말해요.
2. '엄마엄마엄마' 이렇게 말해요.
3. 'ㅇ------ㅓ마' 이렇게 말해요.
4. '숨을 참는 것 처럼 보임' 이렇게 하고 나서 말을 시작해요.
5. 말을 할 때 많이 긴장하는 것처럼 느껴져요.
6. 유치원을 '친구들하고 선생님이 있는 데' 라고 돌려서 말해요.
7. 말하는 사이사이 '음, 어' 이런 소리들을 많이 넣어요.

애착장애인가요?

1. 아이가 엄마의 위로를 받으려 하지 않아요.
2. 엄마가 위로를 해줘도 아이가 반응하지 않아요.
3. 엄마와 행복한 시간을 보내고 있음에도 불안하고 슬프고 과민해요.
4. 주 양육자가 자주 바뀌거나 부모가 비일관적인 양육을 해서 애착을 형성할 기회가 심하게 없었어요.
5. 우리 아이는 자폐는 아닌 것 같아요.
6. 5세 이전부터 그랬어요.
7. 우리 아이 9개월은 넘었어요.

혹시 ADHD일 수도 있어요

1. 선생님의 지시 등에 집중하지 못하고 실수를 많이해요.
2. 놀 때에도 계속적인 집중이 어려워요.
3. 엄마가 말하는 것을 듣고 있는 것 같지 않아요.
4. 심부름을 제대로 끝내는 일이 거의 없어요.
5. 물건을 자주 잃어버려요.
6. 공부는 물론 숙제하는 것을 엄청 싫어해요.
7. 작은 자극에도 쉽게 산만해져요.
8. 일상적인 활동들을 잘 잊어요.
9. 가만히 앉아 있지를 못해요.
10. 지나치게 뛰거나 올라가고 큰 소리를 내요.
11. 지나치게 말을 많이 해요.
12. 엄마 말이 끝나지도 않았는데 대답 먼저 해요.
13. 순서나 차례를 지키지 못해요
14. 다른 사람들을 방해해요.

아이가 뭐라고하는지 모르겠어요

자음	습득 연령
/ㅃ/, /ㄸ/, /ㅎ/, /ㅍ/	2세 후반
/ㄲ/, /ㅌ/, /ㅂ/, /ㅁ/, /ㄷ/, /ㅉ/, /ㅊ/	3세 전반
/ㄴ/, /ㅈ/	3세 후반
/ㅋ/, /ㄱ/, /ㅇ/	4세 후반
/ㄹ/	5세 전반
/ㅅ/, /ㅆ/	-

말을 늦게 시작한 아이들은
그만큼 발음의 성장도 늦어집니다.
전문가를 만나야 하는 시기를 놓치면
더 힘들어집니다.
전문가와 상담하세요.

혹시 자폐스펙트럼일 수도 있어요

1. 대화가 이어지지 않아요.
2. 눈맞춤을 안해요.
3. 다른 사람의 얼굴 표정, 감정 등을 몰라요.
4. 상상하면서 놀지 않고 친구사귀기가 어려워요.
5. 똑같은 행동이나 말을 반복해요.
6. 고집이 세고 집착이 강해요.
7. 통증에 대해 과민하거나 과 둔해요.
8. 어떤 특정한 감각을 추구하는 것 같아요.
9. 대답하지 않아요.
10. 표정이 거의 똑같아요.

PART.01 뚱이쌤에게 궁금해요

1. 전문가의 도움을 받아야할까요?
2. 우리 아이 언어가 잘 발달하고 있는걸까요?
3. 우리 아이 말이 느린 것 같아요. 언제까지 두고 볼까요?
4. 어떤 경우에 치료를 받아야 할까요?
5. 우리아이에게 영어를 가르치고싶은데 어떻게 할까요?
6. 치료실, 어디가 좋을까요?
7. 우리아이에게 필요한 책, 교구나 장난감 등은 어디에서 구할 수 있어요?
8. 우리아이에게 필요한 정보는 어디서 구할 수 있어요?
9. 치료 과목별로 여기저기 다니는 게 힘들어요.

PART.01

뚱이쌤에게 궁금해요

우리 아이 언어가 잘 발달하고 있는걸까요?

아이들 모두 언어를 발달시키는 속도가 다릅니다. 평균이라도 잡아놓은 것에 너무 연연하지 않으시는 게 좋습니다. 하지만 그런데도 평균이라는 것이 무시할 것은 못 되어 다른 집 아이들은 대체로 어떻게 자라고 있는 것인지에 대한 기준만 아시면 됩니다. 아래 보여드리는 표는 '많은 아이의 통계를 내봤더니 이렇더라'라는 수준입니다. 참고만 하세요.

영역	시기	내용
의미	8~11개월	- 특정 낱말에 대한 이해가 많다.(ex, 빠이빠이)
	12~13개월	- 이해하는 낱말이 많다. - 아동의 수용 어휘는 사람이나 사물명→ 행동어→현존하는 이름→사람이나 - 사물명→단단어에서 다단어 조합으로 확대된다.
구문	2~3개월	- 입안 뒤쪽에서 소리가 난다(연구개음/ㅇ,ㄱ,ㄲ,ㅋ/비슷한 소리) - 여러 모음 비슷한 소리를 낸다. - 입 앞쪽 소리(양순음(/ㅍ/제외))를 여러 모음과 함께 낸다.
	4~7개월	- 음절 구분이 있는 소리를 낸다.
	8~11개월	- 음절성 발음이 많다.(ex. 바바, 다다다) - 자기 소리를 성인이 내면 가끔 모방하기도 한다. - '어, 어' 소리를 내며 욕구를 표현한다. - 운율 변화가 있는 소리를 낸다.
	12~13개월	- 일관되게 표현하는 낱말이 상황과 연결되어 있다. - 비음, 긴장 및 기본 파열음과 '/ㅏ/,/ㅣ/,/ㅜ/'모음을 중심으로 말소리가 이루어진다. - 음절과 낱말의 구조는 모음나열이나, '모음+자음+모음'의 연결이 두드러진다.
화용	2~3개월	- 울음으로 자신의 욕구를 표현한다. - 사회적 미소나 웃음을 짓는다. - 몸짓을 통해서 의사소통 의도를 표현한다.

전문가의 도움을 받아야할까요?

네. 혼자 고민하지 마시고, 검증되지 않은 정보의 바닷속에서 헤매지 마시고 전문가를 찾는 것이 옳다고 생각합니다. 시간 낭비, 에너지 낭비하지 마시고 주변에 있는 전문가에게 도움을 청해보세요.

우리 아이 말이 느린 것 같아요. 언제까지 두고 볼까요?

무조건 치료받아야 한다고, 이미 늦었다고, 심한 편이라고만 해서 겁나서 센터 못 가보겠다는 어머님들 많이 계십니다. 그런 아이 중 많은 아이가 굳이 지금 치료를 받지 않아도 되는 아이인 경우가 많습니다. 전투적으로 치료를 권하시는 전문가들도 있지만 저는 인지에 문제없고 의사소통에 문제가 없다는 전제하에 여자아이들은 24개월까지, 남자아이들은 36개월까지 두고 보자고 하는 편입니다. 물론 그 전에 전문가들이 아이의 곁에서 도움을 주면 더 낫기는 하겠죠. 하지만 비싼 치료비 감당해가며 치료실 오가며 받는 스트레스를 그냥 아이와 놀면서 시간을 보내는 것으로 보상을 해보면 어떨까 하는 것이 제 생각입니다. 다만, 이런 경우 아이가 의사소통 기능을 문제없이 발달시키며 사용하고 있는지 눈 맞춤은 원활한지 간단한 질문에 말로는 아니어도 제스처라도 제대로 대답을 하고 있는지 등을 살펴봐야 한다는 것입니다. 기초적인 의사소통 기능이란 '인사하기, 거부하기, 요구하기, 대답하기' 등입니다. 이런 것들을 사용하는 데 있어 뭔가 엄마와 통하지 않는 것 같은 느낌이 든다면 아이가 몇 개월이든 상관없이 즉시 전문가에게 도움을 청하셔야 합니다.

어떤 경우에 치료를 받아야 할까요?

첫째, 의사소통 의도가 없거나 기초적인 의사소통 기능을 적절하게 사용하지 못하면 치료를 받으셔야 합니다.

둘째, 말의 길이가 길고 어휘 다양도가 높지만 혹은 학교에 가야 할 시기가 다가오는데 아이가 하는 말을 제삼자가 처음 들었을 때 "어?"하고 되묻는다면 조음 치료를 받으셔야 합니다.

셋째, 기초적인 의사소통 기능도 모두 사용하는데 의문사 질문에 동문서답을 한다면 치료를 받으셔야 합니다.

넷째, 아이가 핸디캡(장애)이 있다면 언어치료는 기본으로 받아야 한다고 생각하셔야 합니다.

다섯째, 말더듬이 있는 경우에도 치료를 받아야 하는데 언어치료와 심리치료를 동시에 진행하시는 것이 효과적입니다. 이 외에 아이가 이상행동을 보이거나 감각적으로 너무 예민하다거나 해도 감각통합치료와 놀이치료, 인지치료 등 여러 가지 치료를 검토해보셔야 합니다.

우리아이에게 영어를 가르치고싶은데 어떻게 할까요?

조기교육도 좋지만, 한국말도 잘 못 하는 아이에게 영어교육을 굳이 해야 할까요? 이중언어를 비슷한 비율로 자연스럽게 노출해줄 자신이 없으면 영어교육은 조금 뒤로 미루세요.
회화하겠다고 아침부터 새벽잠 못 자고 학원 가서 열심히 하면 뭐합니까? 온종일 사용하는 언어는 한국어인데요. 새벽에 고생한 것은 고생으로 끝날 뿐입니다. 아이들도 마찬가지입니다. 물론 어른들보다 낫기야 하겠죠. 그런데 우리말도 아직 익숙하지 않은 아이에게 굳이 영어까지 가르쳐 더 혼란스럽게 만들 이유가 무엇이냐는 겁니다. 내 아이에게 맞는 목표를 제대로 수립하셔야 합니다. 그리고 자신을 믿고 밀어 붙여보세요. '이게 좋대, 저게 좋대'에 코끼리 귀가 되어 팔랑거리지 마세요.

치료실, 어디가 좋을까요?

어디가 좋다고 콕 집어 말씀드릴 수는 없습니다. 그것보다는 "우리 아이 말더듬이 있는데 어느 선생님을 찾아가야 할까요?"가 맞는 질문입니다. 치료실 쇼핑하지 마세요. 여기 3개월, 저기 3개월, 여기 기웃, 저기 기웃. 아이가 치료사와 친해질 시간도 안 주면서 '언어치료가 정말 효과 있어?'라고 효과의 측면까지 의심하는 어머님들을 보면 답답합니다.
치료를 시작하기 전에 여기저기 상담을 받아보시는 거라면 괜찮습니다. 아이에게 더 나은 환경과 더 나은 치료사를 찾아주기 위한 여정이라고 생각합니다. 하지만 일단 치료사가 정해졌다면 내가 당신을 믿고 있다는 믿음을 보여주세요. 그 믿음에 배짱 있게 배신을 할 치료사는 많지 않습니다.
서로 겨우 얼굴 익히고 친해지려고 하면 다른 선생님 찾아 헤매는 어머님들! 이제 그만하시고 한 곳에 정착하고 믿어보세요. 치료사를 만나지 않으시는 것이 제일 좋은 일입니다만, 치료사를 만나야 하는 경우라면 이미 장기전이라고 생각하시는 것이 옳습니다.
그래서, 집에서 가깝고 아이와 잘 맞는 선생님이 있는 곳이 제일 좋은 센터입니다.
그리고 전문가에게 해야 할 질문을 옆집 언니에게 하지 마세요.
요즘 지역마다 '맘 카페'가 없는 곳이 없어서 카페에 '아이 언어가 느린 것 같은데 치료실에 가야 할까요?', '치료실을 어디로 가야 할까요?' 등의 질문을 하는 부모님들 많이 계시더라고요. 그러면 댓글들이 많이 달리는데 '옆집 아이 늦어서 고민했는데 지금은 말만 잘하더라', '그냥 기다려봐라' 등의 답변들이 있습니다. 그야말로 이런 아이들은 의사소통 기능에 문제가 없고, 인지적으로 문제가 없고, 시력이나 청력에 전혀 문제가 없는 아이들의 이야기입니다. 또' 치료실 어디로 가야 할까요'의 질문에 아르바이트들이 댓글을 다는 경우도 많다고 합니다. 직접 찾아가 보시고 아이와 잘 맞는 치료사일지 만나보세요.

우리아이에게 필요한 책, 교구나 장난감 등은 어디에서 구할 수 있어요?

발품, 손품을 많이 파시라는 말씀을 드리고 싶습니다. 저의 경우 해마다 열리고 있는 국제 유아교육전이라든가 동네 장난감 가게를 자주 가는 편입니다. 그리고 검색을 살벌하게 합니다. 동네 공원을 놀러 가도 무심히 아이들을 바라보지 않습니다. 아이들이 무엇을 갖고 노는지 그것들을 우리 아이들에게 적용하면 어떤 효과를 노려볼 수 있을지에 대해 계속 생각합니다. 그리고 검색을 많이 합니다.

우리아이에게 필요한 정보는 어디서 구할 수 있어요?

이 또한 손품을 많이 파셔야 하는데요. 요즘은 홈스쿨을 하는 어머님들이 자료를 많이 올려주시고 계셔서 어렵지 않게 인터넷에서 검색할 수 있습니다. 키워드를 홈스쿨, 미로 찾기, 어휘 카드 등 잘 선택하시는 것도 중요합니다. 뚱이쌤 블로그에도 많은 자료가 있습니다.

치료 과목별로 여기저기 다니는 게 힘들어요.

네. 여기저기 다니시기 힘드신 것 알고 있습니다. 하지만 좋은 치료사들이 한 공간에 모이기가 여간 어려운 것이 아닙니다. 주로 인맥이나 구인으로 형성되다 보니 어디 센터는 언어를 잘하고 어디 센터는 감각통합치료를 잘합니다. 그리고 노하우가 어느 정도 쌓인 치료사들은 자기 업무 공간을 따로 만들기 때문에 그들이 같이 모이기는 참 어렵습니다. 한 센터에서 모든 과목을 다 잘하기는 어렵습니다. 센터장의 전공에 따라 센터의 분위기도 다릅니다. 각 분야에서 잘한다고 소문난 치료사 구하기가 각각 편리할 테니까요.

PART.01 소통하며놀아요

PART.02

소통하며
놀아요

1 폐대롱놀이

'자폐는 아니래요. 그런데 자폐 성향을 많이 갖고 있대요.', '눈 맞춤이 별로 없어요.', '엄마 말을 앵무새처럼 따라 해요.', '책에서 봤던 내용을 그대로 말해요.', '장난감을 늘어놓기만 하고 다 늘어놓으면 금방 다른 장난감을 늘어놔요.', '장난감을 갖고 노는 방법을 몰라요.', '대답을 안 해요.' 우리 아이들 참 어렵습니다.

우선, 지름 약 5cm, 길이 약 1m 정도의 대롱을 구하세요. 재활용 버리는 날 나가보셔도 되고 선팅 가게, 간판 가게, 인쇄소에 가보시는 방법도 있어요. 어차피 그런 곳에서는 그냥 쓰레기일 뿐이니까요. 대롱은 종이라서 끝이 닳기 전에는 맨살에 닿으면 아픕니다. 그러니 마감 처리를 부드럽게 해주세요. 아이들 얼굴에 상처 나면 속상하잖아요?

그리고 탁구공을 준비해주세요. 사르르 녹는 맛있는 과자도 준비해주시고요. 대롱을 아이 귀 주변에 대고 "○○아~" 하고 불러 아이의 주의를 집중시킵니다. 아이가 돌아보면 그 즉시 '까꿍 놀이'를 해줍니다. 대롱을 사이에 두고 아이와 서로 대롱을 통해 눈 맞춤을 시도합니다.

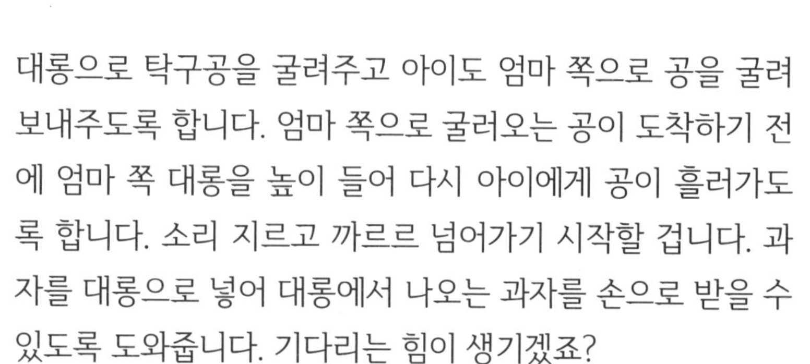

대롱으로 탁구공을 굴려주고 아이도 엄마 쪽으로 공을 굴려 보내주도록 합니다. 엄마 쪽으로 굴러오는 공이 도착하기 전에 엄마 쪽 대롱을 높이 들어 다시 아이에게 공이 흘러가도록 합니다. 소리 지르고 까르르 넘어가기 시작할 겁니다. 과자를 대롱으로 넣어 대롱에서 나오는 과자를 손으로 받을 수 있도록 도와줍니다. 기다리는 힘이 생기겠죠?
아이 귀에 대롱을 대고 이름을 부르고, 질문을 하고, 전화기 놀이를 합니다.
종이컵 전화기를 이용하셔도 되지만, 실이 팽팽해져야 하므로 우리 아이들이 하기에는 벅찹니다.
엄마가 말할 때는 아이는 기다려야 하고, 아이가 말할 때는 엄마가 기다려야 하니 turn taking도 배울 수 있겠죠?

이와 비슷한 놀이로 책들을 죽 늘어놓고 가운데 탁구공이 지나갈 만한 공간을 아이와 엄마 사이에 만들어 탁구공을 주고받는 방법도 있습니다. 탁구공은 너무 작고 가벼워 책으로 가드를 만들어 주는 것인데요. 탱탱 볼이나 축구공 같은 큰 공을 이용하시면 책으로 길을 만들지 않으셔도 됩니다.

2 손수건 줄다리기

깨끗한 손수건을 준비해주세요. 입으로 물어야 하니까 깨끗해야 합니다. 아이와 마주 앉아주세요. 손수건을 넓게 펴 까꿍 놀이를 합니다. 까꿍 놀이를 하다가 우스꽝스러운 표정으로 아이를 웃게 해주세요.
아이가 준비된 듯하면 손수건의 끝을 서로 입으로 뭅니다. 힘겨루기하시면 되는데 이때, 힘을 잘 조절하셔서 왔다 갔다 해보다가 확 잡아당겨 아이가 엄마 쪽으로 튕겨져 오게 확 놔버려 아이가 뒤로 자빠지도록요.
뒤에 푹신한 이불은 필수겠죠? 힘 조절도 필수랍니다. 아이 치아를 생각해서요.
참 별거 아닌 놀이죠?
그런데 눈 맞춤하게 됩니다.
손수건 하나에 의지해 힘겨루기하면서 엄마와의 관계 개선에 좋은 효과를 나타냅니다.

손수건 끝에 거즈를 넣고 동그랗게 만들어서 입속에 넣고 빠지지 않게 잡아당기면서 놀면 구륜근에 힘을 길러줄 수도 있습니다.

구륜근 : 입술 주변을 동그랗게 지탱하고 있는 근육이에요.

3 무궁화 꽃이 피었습니다

아이가 처음부터 놀이의 규칙을 알 수는 없으니 엄마, 아빠 둘 중 한 사람은 술래를 합니다.
아이의 손을 잡고 뒤로 물러서 술래가 '무궁화 꽃이 피었습니다'를 외치기를 기다립니다.
술래가 '무궁화 꽃이 피었습니다' 하며 뒤를 돌아보지 않는 틈을 타, 아이와 손을 잡고 술래가 있는 쪽을 향해 냅다 뜁니다. 술래가 뒤돌아보면 '얼음' 움직이면 안 됩니다. 움직이는 것이 술래의 눈에 걸리는 순간 술래와 새끼손가락을 걸어야 하거든요.
아이가 움직여도 무조건 봐주는 센스!
아이와 술래의 등을 사정없이 후려치고 도망갑니다.
도망가는 두 사람을 술래가 잡아 거실에서 뒹굴고 간지럼 태우고, 깔깔대고.... 참 쉽죠?
기다리는 힘! 운동 운용력, 엄마 아빠와 소통을 제대로 할 수 있는 좋은 놀이입니다.

4 풍선 주고받기

소통하기의 기본은 주고받기입니다.
내가 말할 때는 너는 듣고 있고, 네가 말을 할 때는 나는 듣고 있고
이런 식이잖아요. 내가 줬으니 너는 받고, 네가 줬으니 나는 받고.

풍선에 바람을 잔뜩 넣고 노시면 끝인 놀이입니다. 풍선이 집에 없어서
사러 나가셔야 한다고요?
풍선 사러 나가기 귀찮으시면 집집이 있는 위생 팩을 이용하시면 됩니다. 풍선이 더 탄력 있고, 좋아 보이지만 없을 때 활용해보세요. 비닐봉지에 바람을 넣으시고 입구를 봉한 다음에 던지고 놀면 됩니다. 다치지 않고 부드럽게 할 방법은 이렇게 가벼운 재료를 사용하시면 되고요.
뭐니 뭐니 해도 주고받기는 공이죠. 공으로 여기저기 던지고 받고 발로 차고 이렇게 놀면 끝!

또 한 가지 놀이는 최대한 높이 띄우면서 땅에 풍선이나 팩을 떨어뜨리지 않는 놀이입니다. 발로 차든 손으로 던지든 땅에 닿지만 않으면 됩니다.
주고받기 놀이를 다 하셨으면 바람 빠진 위생 팩을 길게 잘라 바지춤에 끼웁니다. 그리고 쫓아다니며 꼬리잡기를 하는 것입니다. 재료 하나로도 연결해서 놀 수 있는 놀이가 많이 있습니다.

5 사랑해

'사랑해 사랑해 사랑해' 책은 집집이 있으시죠? 그 책을 이용하시면 금방 감을 잡으실 수 있습니다.
책과 하트 모양 포스트잇, 하트 모양 스티커를 준비합니다.

머리끝부터 발끝까지 사랑해~ 하며 포스트잇을 붙여줍니다. 온몸 구석구석을 사랑해주세요.
스티커가 자기 몸에 덕지덕지 붙여지면 '얼음'이 되는 아이들 많습니다.
그 모습조차 어찌나 사랑스러운지. 활짝 웃는 아이를 보며 사랑해보는 시간입니다.

역할을 바꾸어 아이에게 엄마한테 붙여줘~ 하시는 것도 중요합니다.

눈 맞춤하고, 간지럼 태우고, 깔깔대고. 힘드시죠?
그래도 우리 아이 힘든데 못 해줄 것이 있겠습니까? 오늘도 파이팅!

6 동대문을 열어

그룹수업이나 집에서 엄마 아빠와 하기 좋은 놀이입니다.
공간이 많이 필요하지도 않고요.

"동동 동대문을 열어라
남남 남대문을 열어라
12시가 되면은 문을 꼭꼭 닫는다♬"

"동동 동대문을 열까, 말까♪"

12시 되어 문을 닫고는
꼭 해주셔야 할 것!
이제는 아시죠?

쭉쭉 뽀뽀하고 비비고 간지럼 태우고 깔깔 웃고.
예전에 우리가 심심할 때마다 했던 놀이가
대부분 소통 놀이의 기초가 됩니다.
어려운 놀이를 힘들게 찾을 필요가 없답니다.
그럼 오늘도 아랫집에 민폐 끼치며 신나게 놀아볼까요?

7 무도회

아빠가 놀아주면 좋은 놀이입니다.
왜냐고요? 아빠는 엄마보다 뼈도 더 튼튼하고 힘도 세니까요.
70년대 행복해 보이는 어느 집, 영화 속의 한 장면을 떠올리시면 됩니다. 아빠가 아이를 당신 발등 위에 올려놓고 왈츠에 맞춰 춤추잖아요.

바로 그 놀이 해보시라는 겁니다. 키가 맞지 않아 눈 맞춤 하려면 아이가 아빠를 올려봐야 하지만 이 놀이는 눈 맞춤을 유도하는 놀이는 아니랍니다. 같은 리듬을 타면서 아빠와 춤을 추면서 소통의 기회를 가져보라는 놀이입니다.

8 쎄쎄쎄

'푸른 하늘 은하수, 하얀 쪽배에.'
'엽서 한 장 써주세요, 한 장 말고 두 장이요. 구리구리구리 가위, 바위, 보!'

'쎄쎄쎄' 기억하시죠?
요즘은 이런 놀이는 구식이라고 생각해서인지 잘 안 하시는 것 같더라고요. 시대가 시대이니만큼 놀이도 많이 진화된 건 사실이지만 이런 놀이가 아이들 소통 능력을 키워주기에는 탁월합니다.
아이를 바닥에 앉히지 마시고 엄마가 반쯤 뒤로 누운 자세로 아이를 허벅지 위에 올려놓고 하시면 눈 맞춤하기도 훨씬 수월하고 스킨십이 더 수월합니다. 우리 어릴 적 놀았던 놀이를 떠올려 보시면 놀 거리는 얼마든지 있습니다.

소통하며 놀아요

9 시여~

기초적인 의사소통 기능 중에는 '요구하기, 거부하기, 인사하기, 대답하기' 등 여러 가지가 있습니다. 그 중 '요구하기'와 '거부하기'는 본능과 직결되어 있으며 아이들이 제대로 사용하지 못하면 참으로 답답한 지경에 이르게 하는 기능이기도 합니다. 아이들이 제게 오면 기초적인 의사소통 기능들을 사용하는지 살펴본 후 '거부하기'를 못 하면 대체로 그것부터 알려주게 됩니다. 거부하기는 신변 보호와도 밀접한 기능이기 때문입니다.

간혹 '싫어, 아니야'를 부정적 단어라 해서 일부러 안 들려주고 안 가르치는 어머님들 계시는데 아이가 싫어도 싫다고 말하지 못하면 어쩌시렵니까? 물론 거부하기를 제스처로 표현해도 맞기는 맞습니다. 하지만 징징거리는 것과 '싫어'라고 딱 부러지게 말하는 것은 엄연한 차이가 있습니다.

'싫어'를 가르치고 싶으시면 아이가 싫어하는 것을 제공하면서 유도하면 됩니다. 그런데 이런 경우 부정적 감정이 생길 수도 있으니 조심해야 합니다. 그래서 오늘 알려드릴 방법은 책을 좋아하는 아이들에게 부드럽고 자연스럽게 '싫어'를 가르치는 방법입니다.

우선 아이와 함께 아이가 읽고 싶은 책을 고르자고 합니다. 책장 앞에 데리고 가서 아이가 싫어하는 책들을 먼저 꺼내 짚으며 '이거 읽을까?' 하면 아이 표정이 뜨뜻미지근하겠죠? 그럼 얼른 '싫어? 싫구나~. 싫어~.'하면서 다시 꽂아둡니다.
'싫어'하며 여러 권의 책을 넣었다면 이제부터 아이가 좋아하는 책을 꺼냅니다.
'이거 읽을까?'
'좋아? 좋구나~. 좋아! 당첨! 이거 읽자.'
'또 고를래?'
'좋아? 좋구나~ 좋아! 이것도 읽자. 두 권~.'
이것도 읽겠답니다.
잠들기 전 3권에서 5권을 읽고 자야 하는 짜군은 이렇게 '싫어'를 가르쳤습니다.
어느 순간 아이가 '시여, 좋아, 또' 하더라고요.

먹는 것을 이용하셔도 되는데 영양가 면에서도 아이에게 별로 도움이 되지 않지만, 다행히 아이도 싫어하는 음식이라면 금상첨화입니다. 아이가 편식이 심해 영양가를 챙겨야 하는 엄마들은 딜레마에 빠지시겠지만, 어느 것이 더 급한지 생각해보세요. 영양이 우선이면 '싫어'를 포기하고 영양으로 가시면 되는 것이고 당장 영양은 다른 것으로 대체할 수 있으면 '싫어'를 유도하시면 됩니다.

10 또옥똑~ 누구십니까?

짜군과 자주 하는 장난입니다.
이 장난이 소통의 기초가 될 수도 있습니다.

먼저 엄마나 아빠가 모델링을 해줘야겠죠?
아이의 어깨나 몸을 두드리며 '똑똑' 혹은 '딩동' 합니다.
그러면 다른 한쪽은 '누구세요?'
'나'
'어! 세상에서 제일 사랑하는 우리 00네, 어서 오세요' 하면
'사랑합니다' 하면서 서로 얼싸안고 간지럼 태우고 놀면 됩니다.
참 간단하죠?

몇 번 아이와 해주고 나면 심심할 때 아이가 먼저 와서 장난을 걸기도 할 겁니다.
재미없어하고 안 웃으면 다른 방법 찾아야겠지요. 아이들이 다 똑같지는 않으니까요.
그런데 사랑하는 엄마/아빠랑 하는 놀이는 뭐든 재미있어 해주는 게 또 우리 아이들 매력 아닐까요?

11 동생 돌보기

간혹 여자아이들에게만 인형을 주시는 부모님들 계시는데 여자, 남자가 선호하는 놀이, 색 등은 엄마 아빠들이 정해주는 것이 아닌가 하는 생각이 듭니다. 여자아이라고 굳이 로봇 갖고 놀지 말라는 법 없고 남자아이라고 인형 갖고 놀지 말라는 법 없습니다. 다양하게 알려 주세요.

봉제 인형이나 누우면 눈 감는 아가 인형이 있으면 됩니다.
인형이 준비되면 아이와 함께 역할 놀이를 합니다.

'동생이야. 잘 돌봐줘'
'아가야. 잘 돌봐주자~'

'응애응애~ 배고픈가 봐. '
'우유 주자. '
'우유 줄까?'
'까까 줄까?'
'먹어'
'싫은가 봐.'
'좋은가 봐.'
'졸린가 봐.'
'더운가? 추울지도 모르겠다.'
'목욕시켜주자.' 등등

일상생활에 대한 어휘들 투성입니다.
자기감정에 대한 표현들도 많이 나오고요.

인형 놀이는 조음 치료에도 자주 사용하게 되는데요.
'뭐 줄까?'
'까까.'
'그래! 초콜릿 까까랑 코코아 까까 있는데, 뭐 줄까?'
'코코아 까까.'
여기서 목표는 당연히 연구개음입니다.

12 나처럼 해봐요 이렇게!

모방력이 없으면 무엇이든 하기가 참 힘듭니다.
모방은 구어 모방에 앞서 행동 모방이 이루어집니다.
보고 따라 하는 게 듣고 따라 하기보다 쉬우니까요.

나처럼 해봐요. 이렇게♬
이 노래 다들 아시죠? 노래 부르시면서 큰 동작부터 작고 복잡한 동작이나 표정까지 따라 하게 만드는 놀이입니다.

처음에는 아이들이 저 선생님이 당최 뭐 하는지 멀뚱멀뚱!
손잡고 팔짝팔짝 뛰고 돌기부터 시도해보세요.
'아~ 나보고 같이 하자고?' 하면서 알게 됩니다.

우리가 알고 있었던 단순한 놀이나 노래들이 우리 아이들에게 도움이 되는 경우가 많습니다.
주변을 다시 탐색해보세요.

동작이나 표정은 그냥 엄마가 생각해서 하시면 되는데, 이걸 너무 어렵게 생각하시는 엄마들 계십니다. 그러면 동물 따라 하기, 표정에 관련한 카드들이 시중에 나와 있으니 참고하시면 됩니다.

13 수박사려~

이것도 아빠가 해주면 좋은 놀이입니다. 아이를 가로로 아빠의 등 쪽 허리 부분과 아이의 배 부분이 닿도록 뒤로 안습니다. 떨어지지 않도록 잘 잡으실 수 있으시죠?

'자~ 잘 익은 ○○수박 있습니다~ 수박 사세요~'
'수박 맛있을 것 같은데 사시겠어요?'
'우와, ○○수박이네요. 잘 익었나요?'

통통 두드려보고 사시거나 마시거나 맘대로 하시면 됩니다. 사셨으면 아빠에게서 아이를 내리고 엄마 품에 안고 스킨십 폭탄을 주시면 됩니다.

14 돌 굴러가유

이불을 준비합니다. 이불 끝자락에 아이를 올려놓고 이불 끝을 잡아 천천히 높이 들어 올리면 아이가 반대쪽으로 굴러가게 됩니다. 이때 '돌 굴러가유~. 피해유~.'하면 엄마는 반대쪽에 앉아있다가 피하시거나 '어이쿠!'하며 돌을 맞아주시면 됩니다. 맞아주라는 게 결국 스킨십입니다. 또 아이를 이불 말 이를 합니다. 돌돌 굴려서 김밥을 만들고 엄마랑 아빠랑 맛있게 썰어 먹는 시늉을 합니다. 이불 김밥 재료로 엄마랑 아빠랑 번갈아 들어가 주셔도 됩니다.

15 열려라 참깨

이불을 준비해주세요. 아이 눌리지 않을 가벼운 이불을 준비하시면 됩니다. 소통 놀이를 하실 때는 언제나 모델링이 중요합니다. 소통이 안 되는 아이들과 하는 놀이인데 그냥 설명으로 이해시키면서 하시려고 하면 안 됩니다. 엄마 아빠가 먼저 놀면서 모델링을 해주셔야 합니다.

엄마는 아이와 함께 이불 속으로 들어가고 아빠는 밖에 있습니다. 아빠가 '열려라! 참깨!'하면 엄마는 이불을 들어 올려 동굴이 열리게 해야 합니다. 아이가 이불 속에 있게도 하고 밖에 있게도 하면서 노시면 됩니다. 말하는 대로 행해지는 것들을 보여주세요. 은근히 신나는 일입니다.

16 비눗방울 놀이

비눗방울 놀이는 언제나 정답입니다. 하지만 방에서 하면 비눗물이 사방에 떨어지니까 청소하기도 나쁘고 섬유에 붙으면 좀 신경 쓰이죠. 그래서 저는 욕실을 이용합니다. 집에서는 아이 목욕하는 시간을 활용하시면 됩니다. 비눗방울 놀이 실컷 하면 목욕시간도 즐거워지고 일거양득! 서로 비눗방울을 불고 손가락으로 터뜨리고, 더 크게 불어도 보고, 많이 불어도 봅니다.

소통하는 놀이인데 '크다/작다', '많다/적다' 개념까지 노려볼 수 있고 '미끄럽다'의 의미도 알려줄 수 있습니다. 어휘는 어느 순간에라도 알려줄 수 있습니다. 조금의 순발력만 있다면요.

17 두껍아 두껍아 헌집줄게 새집다오

모래가 있는 놀이터에 가시거나 바다에 놀러 가셨을 때 하시면 됩니다. 모래로 역할놀이나 소꿉놀이를 해도 재미있지만 우선 소통이 목표이니만큼 단순한 놀이를 하면서 노는 게 제일 좋습니다.

모래를 끌어모아 자기 앞에 가져가면서
'두껍아 두껍아 헌 집 줄게, 새집 다오.'
노래를 부릅니다.

이때 모래 속에 엄마 손을 넣어도 되고 아이 손을 넣어도 됩니다. 소통 놀이를 해야 하는 아이들은 예민한 아이들도 많습니다. 모래를 너무 싫어하면 편백 나무나 쌀 같은 다른 감각 놀이부터 시작해서 모래까지 하시면 됩니다.

소통하며 놀아요

18 어! 어디갔지?

눈에 넣으면 물론 아프겠지만 어디서든 눈에 띄는 내 자식 모른척하기 놀이입니다. 이 놀이는 그냥 느닷없이 아무 데서나 할 수 있습니다. 앞에서 노는 아이의 이름을 부르면서 'OO아~ OO이 어디 갔지?' 하면 대부분 아이들이 엄마에게 자신이 있다는 것을 열심히 표현합니다. 두어 번 모른척하면 울기까지 합니다. 하지만 우리 아이들 이것조차도 못하는 아이들이 의외로 많습니다. 이럴 때도 모델링을 해주셔야 하는데 형제자매가 있으면 더욱 좋겠지만 없다면 엄마랑 아빠랑 하시면 됩니다.

'아빠~ 아빠 어디 갔지?'
'나, 나 여기!'
'어 이상하다~ 아빠 어디 갔지?'
'나, 여기 있다니까!'
'와~. 여기 있었구나!'

엄마가 찾으면 저렇게 해야 한다는 것을 알려주신다 생각하시고 아이가 보여야 하는 반응을 아빠가 대신 먼저 보여주는 겁니다. 처음에는 아이가 여기 있다고 한 번만 말해도 금방 알아차려 주고 익숙해지면 두 번 세 번으로 찾기의 횟수를 늘리시면 됩니다.

19 역할놀이

역할놀이만큼 소통하는데 중요한 놀이도 없을 겁니다. 직업군을 이용하여 실제 아동과 역할을 나누어 놀아보아도 되고요. 이때 가장 널리 사랑받는 직업군이 의사, 간호사, 선생님 그리고 엄마 아빠라죠? 짜군은 의사가 되기 싫대요. 엄마의 욕심과 아이의 꿈이 충돌하는 아이의 미래는 그냥 아이의 것으로 남겨주기!

저는 좀 색다르게 공구 세트를 이용한 자동차 수리공, 못 쓰는 카메라나 핸드폰을 이용한 사진작가 이런 역할놀이도 가끔 하거든요. 그리고 세 가지 소원을 들어주는 지니 역할도 마다 않는답니다.

역할 놀이할 때는 인형이나 피겨를 많이 이용하죠. 저는 플레이 모빌을 많이 이용하는 편입니다. 레고보다 크고 에피소드도 분명하고 조립 안 해줘도 되니 편하고요. 역할놀이를 어렵게 생각하시는 부모님도 계실텐데 그냥 동심으로 돌아가 역할 나누어 아기랑 같이 노시면 됩니다. 하나도 어렵지 않아요. 자~ 도전!

20 손들어! 빵!

'너프'라는 총 종류를 이용하셔도 되고 블로그에서 소개해드린 '애니멀 팡팡'을 이용하셔도 됩니다. 둘 다 별로 안 아파요. 처음에는 그냥 총 쏘고 놉니다. 아이 놀라지 않게 살살 노셔야 합니다. 무서우면 안 하겠다 할 수도 있는데 지금까지 이런 아이 본 적이 없습니다. 다들 총싸움은 좋아합니다.
총싸움 놀이에 아이가 익숙해지면 본격적으로 '손들어!'를 하셔야 하는데 이때 엄마와 아빠가 서로에게 해 보이면 아이가 이해하기 편합니다. 모델링은 언제나 중요하죠.
'손들어!'
'빵!'
내가 말할 테니 넌 듣고 행동하고.... 이런 것들이 이루어져야 합니다.
이 놀이의 함정은 손들래서 들었는데 총을 쏜다는 거죠.

21 네가 말할 차례야

by. 이효진

아동이 치료실에 처음 오게 되면 치료사가 아이의 이름을 부르고 아이는 이름에 반응하는 활동을 많이 하게 됩니다. 이때, 부모님이 좋은 모델링이 될 수 있어요.
치료사가 이름을 부르면 부모님이나 아이가 "네~"라고 대답을 하며 블록을 끼우거나 통 안에 장난감을 넣으면서 이름에 반응하기 활동을 할 수 있지만, 간혹 치료사의 의도에 잘 따라오지 못하는 아이들도 있어요.
그럴 때는 마이크나 확성기를 이용하여 말을 해야 할 사람에게 마이크를 갖다 대고 지금이 말할 때라는 큐(Que)를 주는 것이 도움이 됩니다.
마이크는 목소리가 커지거나 왜곡되어 재미있는 소리가 나면 아이들은 더욱 흥미를 보이겠지요?

PART.03 집중하며 놀아요

PART.03

집중하며 놀아요

1 catch me if you can

"주의 집중이 짧아요", "같이 집중하지를 못해요" 등 집중력에 대해 호소하는 엄마들이 많습니다. 그런 아이들에게 좋은 놀이입니다. 펜라이트나 빛을 모을 수 있는 플래시가 있으면 좋습니다. 플래시를 껐다, 켰다 하면서 불빛이 사방에서 나타나게 해줍니다. 아이가 쫓아다니면서 불빛을 잡으면 됩니다.

2 종이컵 쌓기

컵 쌓기는 워낙 유명한 스포츠죠. 컵 쌓기 컵을 구매하셔도 좋지만 우리는 주변에 널린 재료들을 이용하기로 해요. 피라미드 모양으로 빨리 쌓기 시합도 해보고 같이 쌓으면서 협동심도 길러보고 다 쌓고 나면 무너뜨리기도 해보면서 집중력을 기를 수 있습니다.

3 듣고, 해봐!

"우리 아이는 왜 이렇게 산만한 걸까요?"
"집중력 키울 방법 없을까요?"
집중력은 훈련 해야 하는 것 같습니다. 그래서 제가 주로 추천해드리는 집중력 놀이입니다. 엄마랑 아이랑 책상을 중간에 두고 마주 앉습니다.
"엄마가 지금부터 책상을 두드릴 거야. 몇 번 두드리는지 잘 들어보고 너도 똑같이 두드려보는 거야."
셈을 할 줄 아는 아이라면 몇 번 두드렸는지 세어보라고 하시면 됩니다. 한두 번 두드리는 것부터 시작하셔서 횟수를 늘려 가시면 됩니다. 아이의 눈을 감도록 하시는 것이 좋고 집중할 수 있도록 잘 듣고 있는지 자주 주의를 환기시켜 주세요. 처음에는 무슨 놀이인지 몰라 어리둥절해서 엄마를 빤히 쳐다만 보고 있을지도 모릅니다. 차분하게 마음을 가라앉히시고 다시 한번 설명해주세요. 그리고 엄마가 책상을 두드리고 아이의 손목을 잡아 엄마가 두드린 만큼 책상을 두드려준 후 잘했다고 칭찬해주세요. 몇 번만 하면 '아하' 할 겁니다.

4 수리수리 마수리

'있다, 없다'의 개념을 이용한 <없어진 물건 찾기> 놀이입니다. 없어진 물건을 찾으려면 일단 집중을 해야 하니까 집중하기에도 좋고 단기기억력에도 도움이 되고 어휘 증진에도 도움이 됩니다. 만 3세 이상 아이들은 정말 잘 하고 성인 치료시간에도 재미있게 수업할 수 있는 방법입니다.

같은 범주의 모형이나 사진 등을 준비합니다. 과일이면 '수박, 바나나, 사과' 학용품이면 '가위, 풀, 색종이' 이런 식입니다. 책상 위에 아이의 능력을 생각해서 2개 이상의 모형이나 사진을 펼쳐 놓습니다. 아이와 무엇이 있는지 살펴보고 말하게 하면서 짚어주고 책이나 수건으로 가립니다.

"수리수리 마수리"

그중 한 개를 숨깁니다.

무엇이 없어졌는지 물어보고 아이들이 대답하는 놀이입니다. 간혹 '지금 뭐 하는 거야?' 하는 표정을 하는 아이도 있지만 대부분 아이들이 재미있어합니다. 아이의 능력에 따라 책상 위의 하위 범주의 개수를 늘리면 됩니다.

5 숨바꼭질

우리 어렸을 적에는 참 많이 했던 놀이인데요. 요즘은 숨바꼭질들을 많이 안 하는 듯합니다. 우리 어렸을 적 놀이를 잘 생각해보시면 모두 집중하며 놀 수 있는 아주 좋은 놀이인데 말이죠.

숨바꼭질이 왜 좋으냐, 어디에 좋으냐?
술래가 된 아이는, 수를 세야 합니다.
눈을 감고 참아야 합니다.
다 숨었는지에 물어봐야 합니다.
찾겠다는 개시를 선언해야 합니다.
다른 친구들이 어디에 숨었는지 유추를 해야 합니다.
찾기 위해 살금살금 다가가야 합니다.
찾았으면 '찾았다' 소리를 질러야 합니다.
찾아진 아이보다 더 빨리 뛰어 술래 찜으로 와야 합니다.
숨어야 하는 아이는, 숨을 장소를 찾아야 합니다.
술래에게 잡힐 때가 기다려야 합니다.
술래가 멀리 간 듯하면 먼저 달려 나와 술래 찜을 찜해야 합니다.
술래에게 들켰다 싶으면 술래보다 먼저 달려가야 합니다.

4살 아이들과 같이 해보세요. 아주 난리 납니다. 기다리지 못해 자기가 먼저 나오고 수를 다 세지도 않고 찾으러 나섭니다. 못 찾으면 울고불고 금방 포기하기도 하죠. 아니면 자기가 방금 무슨 놀이를 했는지 까맣게 잊고 다른 게임을 시작하는 경우도 있습니다. 얼마나 귀여운지....
온 정신력을 집중해서 재미있게 놀 수 있는 놀이가 바로 숨바꼭질입니다. 치료실 세팅에서는 사실 힘듭니다. 방도 좁고 숨어봐야 책상 밑이니까요. 하지만 집에서 하실 때 아주 유용한 놀이입니다.

6 청기올려! 백기올려!

어릴 적, 엄마 몰래 오락실 좀 가보신 분들에게는 추억의 게임입니다. 이 게임이 아이들 집중력 향상에 도움이 될 것이라는 거죠.

파란색 색종이와 흰색 종이를 마련해서 종이를 세모 모양으로 접고 가운데에 나무젓가락을 끼웁니다. 종이는 떨어지지 않도록 풀로 가운데를 붙여주세요.

준비되었으면 아이와 마주 앉은 후,
“잘 들어~ 엄마가 ‘청기 올려’하면 파란색 깃발을 올리고 ‘백기 올려’하면 흰색 깃발을 올리는 거야.”
혹시 못 알아들으면 “파랑 올려 하양 올려” 이렇게 하셔도 무관하겠죠?

청기 올려, 백기 올려, 두 개다 올려!
긴 시간같이 놀지 않으셔도 돼요.
이렇게 간단한 놀이만으로도 집중력을 높일 수 있습니다.

7 하드막대 퍼즐

'설압자'라고 검색하시면 두께 딱 적당한 하드 막대가 검색됩니다. 하드 막대를 7~10개 정도로 그릴 그림에 알맞게 나열해 놓고 움직이지 않도록 뒤에 테이프를 붙여 고정합니다. 앞면에 그리고 싶은 그림을 아이와 함께 그린 후 테이프를 떼어 분리시키면 준비 끝!
직소 퍼즐 맞추듯 자신이 그린 그림을 맞추는 놀이입니다. 직접 그림을 그린 세상에 단 하나밖에 없는 퍼즐이라 집중력은 물론 성취감도 챙길 수 있습니다.
자동차면 자동차, 꽃이면 꽃. 이렇게 단순하고 큰 그림이 좋습니다.

8 설명한 그림 찾기

워크북에 있는 로봇 그림이나 주택 그림 등 다른 그림들을 이용하시면 되는 놀이입니다.
그림들을 펼쳐 놓고 엄마가 설명하는 그림이 어떤 것인지 아이에게 짚어보라고 하면 끝!
"이 로봇은 울고 있어, 머리에 핀을 꽂은 것 같기도 하고 색은 ○○색이야." 이런 식으로 말해주고 아이가 해당 그림을 찾을 수 있도록 도와주면 됩니다.
청각 집중력이 낮은 아이들에게 참 좋은 놀이입니다.

9 콩을 찾아라!

by. 이지은

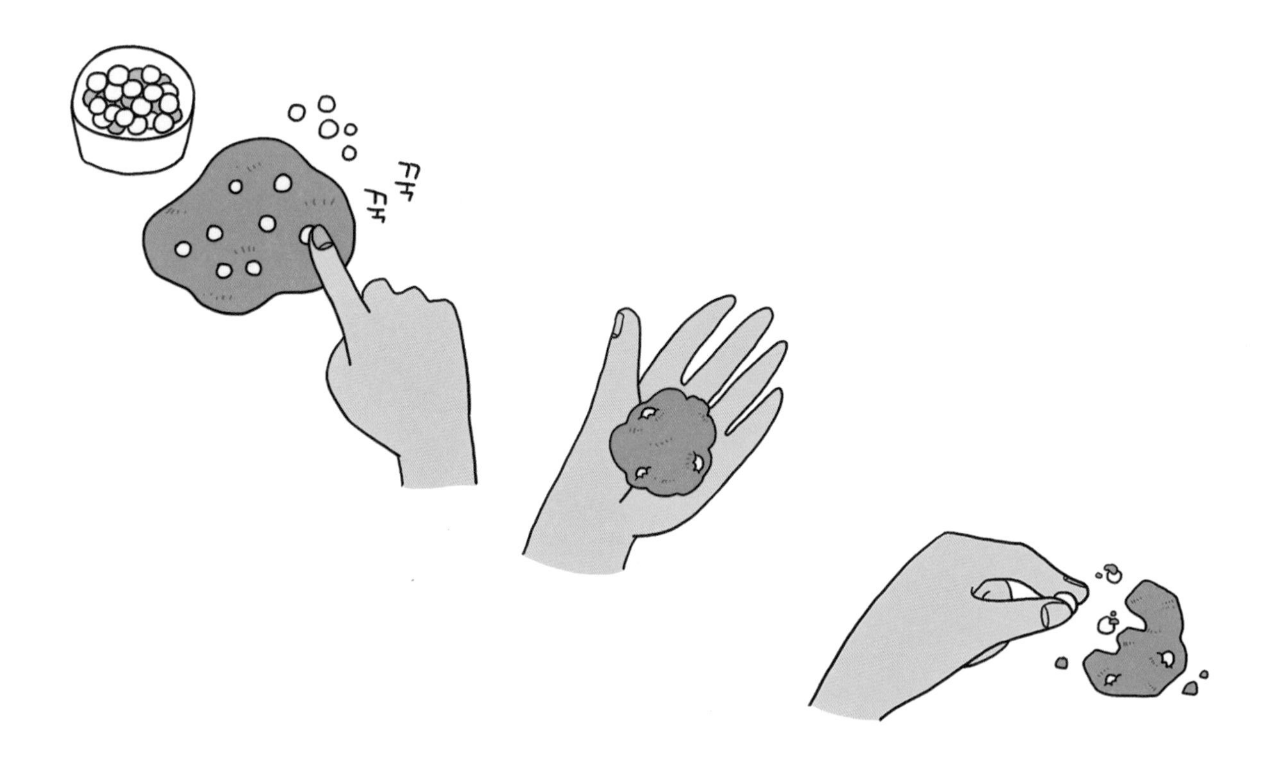

준비물 : 클레이, 콩

소근육 운동과 함께 언어 자극을 줄 수 있는 활동입니다. 클레이와 콩을 준비합니다. 다양한 색깔의 클레이를 사용하면 좋습니다. 아이에게 클레이를 주고 만들고 싶은 것들을 충분히 만들 수 있도록 기회를 제공하여 적극적으로 참여하게 합니다.

1. 아이가 원하는 만큼의 콩을 여러 가지 색깔의 클레이에 넣어줍니다.
2. 콩을 넣은 후 콩이 보이지 않게 클레이를 조물조물 동그랗게 만들어줍니다.
3. 여러 개의 덩어리를 만들어 아이와 함께 콩을 찾아 꺼내기 시작합니다.
4. 콩을 찾으며 숫자 세기 놀이와 적절한 언어 자극을 제시할 수 있습니다.

10 풍선 따라다니기

아이들은 풍선 주둥이를 입으로 꽉 물기 힘들어하니 호른이 달린 풍선을 준비하시는 것도 방법입니다. 바람을 다 넣으면 호른은 빼면 되니까요. 풍선을 불면서 구강 기류에 대해 운용을 더 잘 할 수 있게 되는 것까지 노릴 수 있습니다.

풍선을 어지간히 불었으면 주둥이를 묶지 말고 손으로 꽉 쥐고 아이에게 풍선을 잘 보라고 주의를 끌어준 후 풍선을 먼저 주워오는 사람이 이기는 것이라고 말해줍니다.

풍선을 놓으면 풍선이 사방으로 미친 듯이 날아다니겠죠?

풍선을 크게 불수록 효과가 커집니다.

아이에게 형제자매가 없어도 엄마, 아빠와 함께할 수 있는 초 간단 집중 놀이입니다.

11 도미노

집중력 하면 빼놓을 수 없는 놀이가 도미노 게임입니다. 집중은 물론 은근과 끈기가 있어야 할 수 있는 놀이죠. 처음 몇 번은 넘어뜨려도 웃으면서 재도전할 수 있습니다. 한 네댓 번 넘어가면 슬슬 배꼽에서부터 짜증이 올라오기 시작하니 심신이 허약하신 분들은 계룡산에서 도부터 닦으시고 시작하시는 게 좋겠습니다.

아이 집중력 길러주겠다고 시작한 놀이가 아이에게 소리 지르고 결국 "야! 내가 할 테니까 저리 가 있어!"로 마무리될 수도 있어서요. 상당한 인내를 필요로 하는 놀이입니다.

12 나 잡아봐라

아이가 다치지 않도록 주변의 물건들을 치우고 아이의 눈을 천으로 가립니다. 아이의 주변을 빙빙 돌며 엄마는 손뼉을 치면서 아이가 엄마의 위치를 찾도록 합니다. 청각 집중력을 키울 수 있는 좋은 활동입니다.

13 투호놀이

마트에 가시면 투호 놀이를 살 수 있지만, 집에서 만들어도 됩니다. 음료수 통 반으로 잘라내거나 빨래 바구니를 사용하면 되거든요.
이 놀이를 약간 응용하면 색인지도 할 수 있습니다. 색종이를 구겨 바닥에 펼쳐놓고 빨간색만 빨리 잡아 던지기 노란색만 빨리 잡아 던지기 하면 됩니다.
또 응용하면 단어카드를 바닥에 펼쳐놓고 전기를 이용하는 물건은? 질문하고 전기로 움직여지는 물건들을 모두 찾아 바구니에 담으면서 사물의 특징에 대해 아는 활동도 할 수 있습니다.

PART.04 재미있게알아요

PART.04

재미있게 알아요

1 사물의 이름과 기능 익히기

사물의 이름과 기능을 매칭시킬 때 그냥 앉아서 카드로 보여주기만 하면 얼마나 재미없을까요? 학교나 유치원에서도 내내 그렇게 배우는 것을요. 집에서만큼은 그렇게 하지 말기로 해요. 같은 카드를 보여주더라도 방법의 차이가 있으면 훨씬 재미있게 할 수 있습니다.

사물 카드들을 바닥에 던지세요. “엄마가 문제 낼 테니까 먼저 찾는 사람이 이기는 거다. 이기는 사람에게는 선물이 있으니까 열심히 해보자.”

“이건 손잡이가 달려있어요.”
'띠용'
“이건 물을 끓일 때 쓰는 거예요.”
'띠용'
“이건 '주'로 시작하는 거예요.”
"주전자"
“딩동댕~ 우리 짜군 한 점 획득! 아빠는 빵점!”
“이건 색만 다른 쌍둥이들이 한 가방에 옹기종기 있는 거예요.”
'띠용'

“그림 그릴 때 쓰는 거예요.”
"스케치북"
“땡! 쌍둥이들이 옹기종기 모여 있댔잖아~”

이럴 때는 흥분하지 마시고 단서를 더 주세요.
“종이는 아니에요.”
"크레파스"
“딩동댕~!”
이렇게 어려운 단서부터 쉬운 단서까지 주는 겁니다.

말하고 카드를 찾아오면 보드에 붙여주면서 점수를 한눈에 확인할 수 있도록 해줍니다.

그리고 져주는 센스!
아이들에게 무언가 가르치고 싶으시면 오감을 모두 이용하시는 것이 좋습니다.
같은 학습이어도 집중해야 하죠, 들어야 하죠, 맞춰야 하죠, 찾아야 하죠, 상품도 걸려있죠.

2 내가 누구게?

큰 종이에 말판을 간단하게 그려주세요. 워크북에 있는 그림 중 집 안에 있는 물건들과 일치하는 그림을 오려서 말판에 놓습니다. 주사위를 던져서 나온 숫자대로 말을 움직이고 해당 칸에 있는 그림과 같은 물건을 집에서 찾아오면 되는 간단한 게임입니다. 예를 들어 컵이 나오면 주방에 가서 컵을 먼저 갖고 오면 됩니다. 가족들이 모두 같이 할 수 있는 게임으로 규칙을 알 수 있게 해주고 그림과 사물을 매칭하면서 어휘도 증진할 수 있는 놀이입니다.

3 위치 알아요

모든 어휘는 생활에서 자주 들려주고 언행일치하면서 익히는 게 제일 좋습니다만 그렇게 해도 쉽게 받아들이지 못하는 우리 아이들에게 뽀로로와 친구들을 이용하는 놀이입니다.
'멜로디 밴'이라고 검색하시면 '한****'에서 만든 자동차가 검색됩니다. 가족 인형도 같이 들어있고 태우고 내리기가 좋습니다. 그리고 뽀로로와 친구들은 물놀이 세트로 구할 수 있습니다. 고무 재질로 되어 있습니다.

친구들이 차를 타고 소풍 갈 거라며 모두 내리게 합니다.
"누구 먼저 탈까?"
"그래, 포비"
"나는 맨 뒤에 탈래" 성대모사를 해주면 아이들 더 좋아합니다.
이렇게 지시사항을 주면서 아이가 포비를 들고 차의 맨 뒷좌석에 태우게 합니다.
'패티는 포비 옆에' 혹은 '에디 뒤에' 크롱은 "난 맨 앞에 앉을 거야 크롱 크롱" 혹은 '에디 앞에, 루피 옆에'. 이렇게요.
혹은 어휘를 갑자기 변형시켜 "난 운전할 거야" 이렇게 말했을 때 어떻게 반응하는지도 관찰하세요.
"자~ 다 탔으면 소풍 가자~ 출발~ 부릉 부릉"
"도착했습니다."
친구들을 하나씩을 내려주며 다시 위치를 말해줍니다.
"포비를 루피 뒤에 세워주세요."
"루피 뒤에 포비를 세워주세요."
이렇게 목적어의 위치를 바꿔보기도 해보면서 하면 많은 언어 자극을 줄 수 있습니다.

4 심부름 시키기

아이가 얼마나 이해하는지 모르실 때가 있습니다. 아이들이 알고 있는 어휘, 모르는 어휘를 어머님들께서 평가지를 갖고 평가하실 수도 없는 노릇이고요. 가장 손쉽게 파악할 수 있는 놀이는 심부름 놀이입니다.

너무 간단해서 '뭐야~?' 싶으시죠? 하지만 많은 어머님이 내 자식 귀하사 심부름을 안 시키고 계신다는 사실! 자식 귀할수록 심부름을 많이 시켜보세요. 이때 시키시는 것도 요령이 필요합니다. 우선 아이가 확실히 알고 있는 것부터 시작하셔야 합니다. '물티슈, 기저귀, 컵' 이 정도로 친숙한 어휘는 대부분 알고 있으니 여기서부터 시작하시는 것이 좋습니다. 모르는 어휘부터 시켜버리면 의욕을 잃을 수도 있으니까요.

"물티슈 갖다 줄래?"

'갖고 올래?, 갖고 와, 갖다 줘, 갖다 주면 고맙겠어.' 등의 어휘를 사용하시면 좋지만 중요한 것은 물티슈라는 어휘를 명확하게 들려주셔야 한다는 겁니다.

물티슈를 의기양양 갖고 오는 아이를 아낌없이 칭찬해주세요. '궁디팍팍!' 못 들은척한다고, 심부름 안 한다고 성질내지 마시고 심부름을 안 하려고 하면 손 붙잡고 가서 같이 가져오시고 칭찬해주시길 반복해주세요.

이렇게 아이가 알고 있는 것부터 시작하신 후에 알까? 모를까? 싶은 것들은 아이의 눈에 쉽게 띄도록 배치하시고 혹은 손가락으로 가리켜서 가져올 수 있을 만한 위치에 배치한 후 심부름을 시키는 겁니다.

단서를 더 제공하면서 모르는 단어로 넘어가시면 됩니다. 심부름시키기는 이렇게 아동이 모르는 어휘와 아는 어휘를 어머님들께서 쉽게 파악하는 방법도 되고 새로운 어휘를 습득할 기회를 주기도 합니다.

위치 부사어를 섞어 "책상 밑에 연필 가져와" 식으로 확장하는 것도 잊지 마세요.

5 기차(교통수단) 타보기

우리 아이들 경험의 부재로 인해 모르는 것이 너무도 많습니다. 안다는 것은 간접 체험보다는 직접 체험이 좋다는 것은 당연한 사실입니다. 직접 체험하려면 배는 바닷가로 가야 하고 비행기는 비용이 많이 들겠죠. 그래서 기차 타러 가봅시다. 기차표도 끊어보게 하고 기차는 여러 대가 연결되어 있다는 것과 화장실과 매점이 있다는 것, 목적지가 아닌 곳도 다 정차하기 때문에 그럴 때는 기차가 멈춰도 자리에 앉아있어야 한다는 것, 안내방송이 나온다는 것 등을 배우고 창밖으로 펼쳐지는 풍경들도 보고, 달걀도 먹고 사이다도 마시며 즐거운 경험을 합니다. 그리고 자기 경험을 담화로 이야기할 수 있도록 돕는 것이 최종 목표입니다. 전보식 발화로 하더라도 최대한 자신의 경험을 말할 수 있도록 도와주세요.

6 길다, 짧다

테이프 자르기 놀이하시면 간단하게 끝납니다. 가베를 준비하셔도 좋고 그냥 종이를 준비하셔도 좋습니다. 테이프로 붙이기를 하는 것인데 테이프를 엄마가 잘라주시면서 “길게 줄까? 짧게 줄까?” 물어보시면 됩니다. 뒤에 있는 말만 다라 말할 수도 있으니 앞뒤 질문을 바꿔서도 해보셔야 합니다. 달라는 대로 그냥 주면서 “짧게?", "아, 짧게", "와, 짧다.” 계속 반복해서 들려주세요. “이번에는 길게? 지렁이처럼 길게 만들려고?", "기~~~일게.", "기~~~~일다.” 길게 줄 때는 말도 기~~~일게 늘여서 들려주세요. 택일 질문을 훈련해야 할 때도 이 놀이가 괜찮습니다. 이 외에도 브랜드비의 팝아트나 짐보리의 고리 같은 것을 이용하셔도 되는데 이때 '많다/적다'까지 해보실 수 있습니다. “많으니까 길게 만들 수 있다. 그렇지?” 하시면서요.

과자를 이용해서 알려줄 수도 있습니다. 짱구나 양파링처럼 끼울 수 있는 과자를 이용하여 리본에 엮으면서 노시면 됩니다. 길게 엮어서 왕관도 만들고 목걸이도 만들어 길다 알려주시다가 하나씩 먹으면서 짧다 알려주시면 됩니다.

7 집안일 시켜보세요.

집안일을 하면서도 재미있게 할 수 있습니다. 냉장고 정리하면서 냉동실과 냉장실에 넣을 음식물들을 구분, 분류, 정리할 수 있는 능력을 키워줍니다. 물을 얼리면 얼음이 된다는 사실도 알려줄 수 있겠죠?

신발 정리하면서 같은 모양 찾기 하면서 놀면 됩니다. 신발장에서 신발을 마구 꺼내 "엄마 좀 도와줘." 하며 짝을 찾아서 신발장에 정리하면 끝이에요.

설거지, 빨래하기, 요리하기 하면서 순서에 대한 스크립트를 연습할 수 있습니다.

빨래는 어떤 날씨에 잘 마르는지, 비가 오면 왜 빨래를 걷어야 하는지 등. 간단한 이유에 대해서도 알 수 있고 누구 옷, 누구 양말인지 소유격도 알 수 있고, 짝 맞추기도 가능합니다.

그 외 청소하기, 쇼핑하기 등. 생활에서 엄마랑 할 수 있는 놀이는 많습니다.

8 색종이로 색, 모양, 크기 알아요

색종이를 네모, 세모, 동그라미로, 크기와 색을 다양하게 오려서 준비합니다.
"○○색 찾아보세요."
"○○모양 찾아보세요."
"작은 ○○모양 찾아보세요."
"큰 ○○색, ○○모양 찾아보세요."
이렇게 과제를 늘려가면서 사용할 수 있습니다.
만들기 간편하면서 꽤 유용하게 사용할 수 있는 엄마표 교구입니다.

9 보물찾기

재미있게 알기 위해서는 재미가 요소가 되어야 하죠? 재미도 있고, 흥미도 있고, 강화 물까지 획득하면 정말 좋겠죠?
같은 모양의 상자를 다른 크기로 여러 개 준비합니다. 같은 모양이라고 어려워하실 건 없는 게 여러 크기, 모양의 상자들을 같은 포장지로 포장하면 됩니다. 만드셔도 상관없고 재활용해도 상관없죠? 포장만 똑같이 하면 되니까요.
왜 똑같아야 하냐면 아이가 찾아야 할 상자가 분명해야 하기 때문입니다. 그래야 찾는 장소도 여러 군데 활용할 수 있으니까요. 준비가 되셨다면 상자 안에 아이가 좋아하는 작은 물건부터 선물로 넣어주세요. 사탕, 미니 자동차 상관없습니다. 우선 상자를 여는 기쁨을 만끽하게 해주어야 합니다. 그래야 상자를 찾으려고 할 테니까요. 처음에는 아이가 유치원에서 돌아올 시간에 맞추어 현관에 놓습니다.
“어? 짜군 선물인가 봐~ 신발 벗고 들어와서 풀어볼까?”
선물상자를 풀면 당연히 아이가 좋아하는 선물이 나오겠죠?
"다음에도 이런 상자가 있을지도 몰라~ 우리 이런 선물 많이 받을 수 있게 심부름도 잘하고 엄마/아빠 말씀도 잘 듣자?" 하면서 은근 기대감도 줄 수 있습니다.
처음에는 현관에, 다음에는 아이 방 잘 보이는 곳에, 다음에는 소파에. 이렇게 장소를 바꿔서 선물상자를 놓아줍니다. 매일매일 하는 것보다 며칠 걸러 하시는 것이 좋습니다. 경제적인 압박도 생기고.. 원래 강화라는 것이 간헐적 강화가 더 효과적이니까요.
아이가 선물상자의 매력에 흠뻑 빠졌다면 이제부터 중요합니다. 이제부터는 아이가 알았으면 하는 어휘들을 선물하시면 됩니다. 하루에 한 개, 두 개, 몇 개든 상관없습니다. 그리고 어디에 숨겨두어도 상관없습니다. 발견하는 즐거움, 선물 받는 즐거움에 어차피 아이는 즐거워 주체 할 수 없을 테니까요. 알려주고 싶은 어휘의 선물을 아이에게 알려주시고 그것의 용도를 이용해 놀고 모양과 색, 냄새 등을 탐색하고.. 선물을 찾기 위해 아이는 집중할 것이고 엄마가 어디에 숨겨두었을까 머리도 쓰게 됩니다.

10 어디로 뫼실까요?

집안을 구석구석 잘 이용하시는 것이 포인트입니다. 화장실은 목욕탕, 주방은 식당, 공부방은 도서관, 옷장은 옷 가게, 다용도실과 냉장고는 마트, 의료 상자랑 소파랑 엮어서 병원 등 장소를 정해놓습니다. 망가질락 말락 한 트렁크 하나쯤은 있으실 겁니다. 없으시면 빨래 바구니! 그것도 없으시면 승용 가능한 완구는 무엇이든 OK입니다.
아이를 트렁크에 태우고 택시 인양 "어디로 갈까요? 손님?" "병원" "예, 병원으로 가겠습니다." 이렇게 놀면 되는데 병원이라고 말을 못 하는 상황이라면 제스처를 읽어주시고 제스처도 별 소용이 없다면 "배고프니까 식당 먼저 가겠습니다." 하면서 장소를 지정하셔도 됩니다.
트렁크를 이용하시는 것이 좋은 것은 안 될 것 같은 것을 허용했을 때 아이들은 더 큰 재미를 느끼기 마련이거든요.

11 왼쪽, 오른쪽

회전의자 이용해 볼까요? 빙글빙글 도니까 아이가 떨어질까 봐 "내려와"만 하게 되는데 기왕 올라갔으니 왼쪽 오른쪽 배우고 내려오면 좋을 것 같아요.
"오른쪽으로 돌린다, 왼쪽으로 돌린다, 어느 쪽으로 돌려줄까? 오른쪽? 좋아! 간다!"
"오른쪽으로 3바퀴 돌린다." 하면서 수도 알려줄 수 있습니다.
회전의자 이용하면서 방향과 수 익혀보면 재미있습니다.

12 반대말 빙고

빙고에 들어갈 반대말은 워크북에 들어있습니다.
빙고 게임을 위해 반대말은 오린 후, 나눠 가지면서 아이에게 선택권을 주세요. "큰 것 가질 거야? 작은 것 가질 거야?" 이렇게요. 아이들 대부분 positive 개념을 챙겨갑니다. 아이가 너무 어려워할 개념들을 빼가면서 난이도 조절을 해주세요. 빙고 판에 자신의 그림들을 마음대로 다 붙이고 본격적으로 빙고 게임을 하시면 됩니다. '넓다'를 말하면 상대는 '좁다'를 지우고 '밀다'를 말하면 '당기다'를 지우면 됩니다.

13 색 인지

❶ 원판에 색 집게 집기 : 색이 있는 나무집게나 빨래집게를 준비하셔서 워크북에 있는 둥근 모양의 색판에 같은 색의 집게를 집는 놀이입니다.

❷ 블록 끼우기 : 그리고 워크북에 있는 블록 모양의 색표와 같이 끼우면서 노시면 됩니다.

❸ 쉐이빙폼 놀이 : 목욕시간을 이용하셔도 됩니다. 아빠들이 사용하는 쉐이빙폼을 갖고 놀면서 '미끄럽다, 부드럽다' 등의 어휘를 같이 알려주시면서 거품에 물감을 풀어 색을 알려주시면 됩니다.

14 맛 알기

뭐니 뭐니 해도 먹어보기만큼 맛을 잘 알 수는 없습니다. 양념이란 양념은 모두 꺼내 모양과 맛, 향을 느끼게 해주시면 됩니다. 색과 연결해서 색인지도 같이 해주세요.

15 마임으로 사물 알아맞히기

by. 이효진

몸동작으로 과일 및 동물, 사물을 표현하고 상대방이 알아맞히는 게임을 해보아요. 집에서 가족들과 치료실에서 선생님과 편을 나눠요.
먼저 게임을 시작할 때는 어른들이 모델링을 해주면 좋을 것 같아요. 만약 사자를 표현해야 하면 아빠나 엄마나 사자의 갈기를 몸짓으로 표현하고 "어흥!"하고 울음소리를 내면 아동이 맞출 수 있겠지요. 그리고 아동도 수준에 맞는 단어카드를 골라 마임으로 묘사를 합니다.
서로서로 즐겁게 맞히다 보면 새로 익힌 어휘를 오래도록 기억하는 데 도움이 되겠지요?

16 젠가블록 쌓기

by. 이효진

블록을 쌓으며 주고받기 및 색깔과 숫자 세기, 소근육 운동까지 할 수 있어요. 5개 정도 쌓으면 블록들은 흔들거리기 시작할 거예요. 블록이 흔들거리면 어머님이 흥분하며 긴장을 고조시켜요.

"어머~조심조심해야지! 블록이 흔들리고 있어. 무너질 것 같아!"

여러가지 표현을 해준 후 아동과 서로 쓰러뜨리지 않기 위해 겨루기 게임을 할 수도 있어요. 마지막으로 블록들을 다 쌓아 올린 후 생일 축하 노래를 부르고 호흡훈련을 할 수 있도록 블록을 후~ 불어 넘어뜨리는 활동을 합니다. 그러면 아이들은 너무너무 좋아하지요. 이 활동은 치료실에 처음 와서 라포를 형성할 때 하곤 하는데 아이들이 매우 좋아하는 활동 중 하나입니다.

17 계절놀이

by. 이효진

아동에게 봄, 여름, 가을, 겨울을 설명해줄 때 그림과 사진을 보여줄 수도 있고 기온에 대해 알려줄 수도 있습니다. 주로 치료실에서 표현하는 것들이 봄에는 개나리, 진달래 등 새로이 피어나는 산의 모습이고 여름에는 아이들이 바닷가에서 수영하는 모습, 가을에는 낙엽과 단풍이 물든 산, 겨울에는 하얗게 눈이 오는 세상과 크리스마스입니다.

주변에서 쉽게 구할 수 있는 재료들로 계절의 모습들을 표현해보면서 '꽃잎 스케치북에 붙이기, 모래로 바닷가 그림 그리고, 은행잎으로 나비 만들기, 솔방울로 크리스마스트리 만들기' 등의 즐거운 활동도 할 수 있고 아동도 계절을 비교적 쉽게 기억할 수 있습니다.

18 가족퍼즐

by. 이효진

기존의 4~5조각 퍼즐에 가족사진을 출력하여 붙입니다. 그리고 아동이 퍼즐을 맞추면서 "아빠, 엄마, 누나, 형, 나"를 한 조각씩 퍼즐로 맞춥니다. 지겹지 않으면서 여러 번 들려주기가 가능합니다. 그리고 가족 어휘 외에도 간단한 어휘 "여기, 맞아, 돌려, 끼워, 그렇지, 잘했어, 아니야" 등을 자연스럽게 배우며 위치 부사 " 밑에, 위에, 아래, 오른쪽, 왼쪽" 등도 들려줄 수 있습니다.

19 신체부위 이름 알기

by. 이효진

아이들은 노래를 부르거나 율동을 하면 좋아하지요. 그리고 스티커도 아주 좋아한답니다.
"눈은 어디 있나 여기, 코는 어디 있나 여기." , "머리, 어깨, 무릎, 발 무릎 발."과 같은 노래를 부르면서 율동과 해당하는 신체 부위를 손으로 가리킬 수도 있고 함께 반짝반짝 빛나는 스티커를 아이 눈 코입 귀 근처에 붙여 함께 노래를 부르면 시선 집중을 시키는 데 도움을 줄 수 있답니다.

20 카드 만들기

by. 이효진

특별한 날이 되면 아동들에게 달력을 보여주고 오늘이 어떤 날인지 인터넷으로 검색하여 사진과 함께 설명해줄 수 있습니다. 그리고 특별히 카드를 쓰면 좋을 몇몇 날들이 있는데 그런 날에는 카드를 함께 만들어 봅니다. 카드를 쓰기 좋은 날은 친구나 가족의 생일 그리고 크리스마스 등이 있습니다. 색지에 그림을 그리고 예쁘게 꾸미면서 아동에게 무슨 말을 쓰면 좋을지 모델링 해줍니다.
글을 쓰기 싫어하는 아동에게는 카드를 꾸미면서 흥미를 줄 수 있고 다 만들어진 카드 결과물을 갖도록 하여 완성의 기쁨까지 줄 수 있으며 또 카드를 받는 가족이나 친구가 기뻐하는 모습까지 보면서 즐거운 활동을 할 수 있습니다.

21 거울 속의 내 얼굴

by. 이지은

준비물 : 거울, 네임펜, 손세정제

자신의 얼굴을 그려보며 신체 부위 이름을 표현할 수 있는 활동입니다. 거울의 크기는 얼굴 크기보다 커야 하며 거울의 크기가 클수록 좋습니다.

1. 아이와 같은 방향으로 나란히 앉아 거울을 아이의 눈높이에 맞춰줍니다.
2. 거울을 비춘 아이의 얼굴을 유성펜으로 함께 그립니다.
3. 신체 부위를 그릴 때마다 적절한 언어 모델링을 해줍니다.
4. 손 세정제를 사용하여 신체 부위를 지우며 “귀가 없다면 어떻게 될까?”같은 질문도 할 수 있습니다.

거울은 나란히 앉아서 할 수 있는 활동이고 마주 앉아 할 때는 베란다 큰 창을 이용하시면 됩니다. 아크릴판(뚱이쌤 블로그 참고)으로 의사소통 판을 만들어 아이와 반대쪽에 앉아서 서로 눈 맞춤하면서 놀면 아주 좋은 활동입니다.

22 컵 숨바꼭질

by. 이지은

준비물: 가위, 풀, 색종이, 종이컵, 스티커

가위질, 풀칠을 통한 양손 협응과 함께 색이름과 위치를 나타내는 어휘를 이해하고 표현하기 등의 언어자극을 할 수 있는 활동입니다.

1. 색종이를 동그랗게 오려 컵의 바닥에 붙입니다. 색종이 대신에 여러 가지 색연필로 색칠할 수도 있습니다.
2. 스티커를 종이컵 안쪽으로 붙여줍니다.
3. 스티커를 붙인 후 종이컵 탑을 쌓습니다.
4. 아이가 숨겨진 스티커를 찾을 수 있게 “토끼는 보라색이랑 초록색 컵 위에 있어요”처럼 단서를 줍니다.
5. 역할을 바꾸어 아동이 스티커를 숨기고 스스로 문장을 만들어 단서를 제시하도록 합니다.

23 카멜레온 클레이

by. 이지은

준비물 : 흰색 클레이, 유성펜

원하는 색깔과 모양의 클레이를 만들며 색이름 대기와 다양한 언어자극을 줄 수있 는 활동입니다. 수성 사인펜은 번지므로 유성펜을 사용합니다. 유성펜은 손 세정제로 지우면 깨끗이 지워집니다. 너무 세게 찍으면 펜이 망가지니 아이가 스스로 조절할 수 없으면 도와줍니다. 아동의 연령을 고려하여 사인펜 색의 개수를 조절합니다.

1. 펜을 한 개씩 선택하여 색이름 대기를 합니다.
2. 흰색 아이클레이를 납작하게 펴준 뒤 펜으로 톡톡톡 찍어줍니다.
3. 돌돌 말아서 클레이를 섞어줍니다.
4. "변신해라 얍" 등의 말로 아동의 기대치를 높여줍니다.
5. 변신한 클레이로 만들기를 합니다.

24 나의 이야기

by. 이지은

준비물 : 카메라, 활동사진, 풀, 테이프

가정에서는 가족과 함께한 여행이나 놀이를 주제로 하고 치료실에서는 치료사와 함께 하였던 활동들을 주제로 짧은 이야기를 만들 수 있는 활동입니다. 사진을 뽑아야 하는 과정이 있어서 가정에서는 이러한 과정을 아이와 모두 함께해도 되고 치료실에서는 회기를 나누어 진행하도록 합니다. 그리고 아이의 언어발달 정도에 따라 사진의 개수를 조절해야 합니다.

1. '주제'는 자유롭게 선택합니다.
2. 아이와 신나게 놀면서 사진을 찍습니다.
3. 카드를 순서대로 나열할 수 있도록 유도합니다.
4. 완성된 카드를 적절하게 이야기할 수 있도록 합니다.

25 표정 풍선

by. 이지은

준비물 : 풍선, 표정 그림, 유성펜

풍선을 사용하여 감정을 나타내는 어휘를 이해하고 표현할 수 있는 활동입니다. 풍선의 개수는 아이의 언어발달 정도에 따라 달라집니다. 풍선을 돌린 후 집게로 고정하는 등 풍선의 매듭을 묶지 않습니다.

1. 여러 가지 색의 풍선을 불어 묶지 않고 바람이 빠지지 않게 고정합니다.
2. 유성펜을 사용하여 풍선에 여러 가지 표정을 그립니다.
3. 표정을 모두 그리고 나서 풍선의 바람을 빼고 풍선을 나열합니다.
4. 이야기를 잘 듣고 적절한 표정을 고르도록 합니다.
5. 적절히 표정을 골랐을 때 풍선을 얼굴 크기만큼 불어서 풍선 표정에 맞는 소리를 내며 이야기를 합니다.

26 카드 징검다리

by. 이지은

카드 활동은 착석을 유지하여 활동하는 상황이 많아 금방 지루하게 느끼거나 참여도가 떨어지게 됩니다. 아동과 함께 움직이며 카드 학습을 할 수 있는 활동입니다.

1. 활동을 진행하는 공간에 따라 여러 장의 카드를 준비합니다.
2. 카드가 보이지 않게 바닥에 여기저기 펼쳐 놓습니다.
3. '징검다리' 등의 일정한 단어를 정하여 한 글자에 한 장씩 카드를 밟으며 이동합니다.
4. 마지막 글자 '리'에 밟게 된 카드를 뒤집어 그림의 이름을 말하거나 설명합니다.
5. 적절한 표현을 했을 때는 카드를 가져갈 수 있습니다.

재미있게 알아요

27 지뢰 터뜨리기

by. 이지은

주의 집중 및 활동 전환을 위한 환기 활동으로 활용할 수 있습니다.

1. 에어캡의 올록볼록 튀어나온 부분이 아닌 매끄러운 쪽으로 동그라미 안에 색칠해줍니다.
2. 색칠이 끝나면 정해진 시간 내에 터트리기를 합니다.
3. 에어캡의 크기가 클수록 아이의 시야 확대에 도움이 됩니다.
4. 여러 가지 색의 유성펜을 사용하여 제시하는 색깔만 터뜨리는 활동도 할 수 있습니다.

28 무슨 느낌일까?

by. 이지은

준비물 : 벨크로 테이프(갈고리와, 걸림고리), 색종이, 풀, 가위

아이와 함께 간단히 만들기를 하면서 촉감과 관련된 어휘와 색이름 대기를 유도할 수 있는 활동입니다.

1. 세 가지 색의 색종이를 아이와 함께 골라봅니다.
2. 벨크로 테이프의 갈고리(까슬이)와 걸림고리(보슬이)를 색종이 크기에 맞게 잘라줍니다.
3. 갈고리(까슬이)와 걸림고리(보슬이)를 각각 다른 색의 색종이에 붙여줍니다.
4. 벨크로 테이프를 붙이고 나면 테이프에 붙어있던 종이를 버리지 않고 미끌미끌 한 부분이 보이게 다른 색의 색종이에 붙여줍니다.
5. 아이와 함께 만져보면서 “빨간색은 무슨 느낌이야?”처럼 질문을 합니다.

29 어디로 갈까요?

by. 이지은

준비물 : 유성펜, 모양 그림, 안대 또는 수건

지시에 따라 그리기를 하면서 방향을 나타내는 어휘의 이해 및 표현을 유도할 수 있는 활동입니다.

❶ 그림의 선택은 아동에 따라 '▣' 이런 모양의 단순한 그림 또는 복잡한 그림을 준비합니다.

❷ 안쪽 선과 바깥쪽 선 사이에 시작점을 그려줍니다.

❸ 아이의 눈을 가리고 시작점에 펜을 올릴 수 있도록 도와줍니다. 눈을 가리기가 어렵다면 아이가 자신이 그리는 것을 볼 수 없도록 가려줍니다.

❹ 들려주는 방향을 잘 듣고 아이는 지시에 따라 선 안쪽에 그림을 그립니다.

❺ 역할을 바꾸어서 아이가 "오른쪽으로 가세요" 등의 방향 제시를 할 수 있도록 합니다.

재미있게 알아요

30 코끼리와 거미줄

by. 임경미

준비물 : 거미줄 그림, 코끼리 그림

준비물은 워크북에 포함되어 있으니 활용해보세요. '코끼리 한 마리가 거미줄에 걸렸네~♬ 신나게 그네를 탔다네~♬' 코끼리를 올려놓을 때마다 노래를 불러줍니다. 색깔에 맞게 "○○색 코끼리가 거미줄에 걸렸네."를 부릅니다. '리본 한 코끼리가 거미줄에 걸렸네♬', '빨간 리본 한 코끼리가 거미줄에 걸렸네♬'로 확장할 수 있습니다. 마지막에는 '그만그만 툭 하고 끊어졌대요~♬'하고 다 떨어트리시면 더욱 신난답니다.

31 어디어디 있나요?

by. 이지은

준비물 : 스케치북, 다양한 크기의 종이, 스티커, 색연필

분명 가까이에 있는 물건인데도 잘 찾지 못하거나 찾으려고 하는 시도가 적은 아이들이 있습니다. 숨은그림찾기 또는 보물찾기를 어려워하는 친구들에게 이 활동을 먼저 시도해 보았을 때 아이의 시야 폭도 넓힐 수 있고 간단한 동사 어휘 등을 모방할 수 있었습니다.
종이의 크기는 작은 크기의 종이부터 시작하며 점점 더 큰 크기의 종이로 활동을 확대하는 것이 좋습니다. 아이와 함께 종이에 스티커를 여기저기 붙입니다. 좋아하는 색연필을 골라 스티커가 어디에 붙여져 있는지 찾아서 동그라미를 그려줍니다. 그려진 동그라미끼리 연결해 줍니다.

PART.05

또박또박 말해요

우리말의 체계

다소 지루한 내용일 수도 있지만,
말소리가 어떻게 만들어지는지에 대해서
이해하시면 도움이 되실 겁니다.

❶ 발음 기관

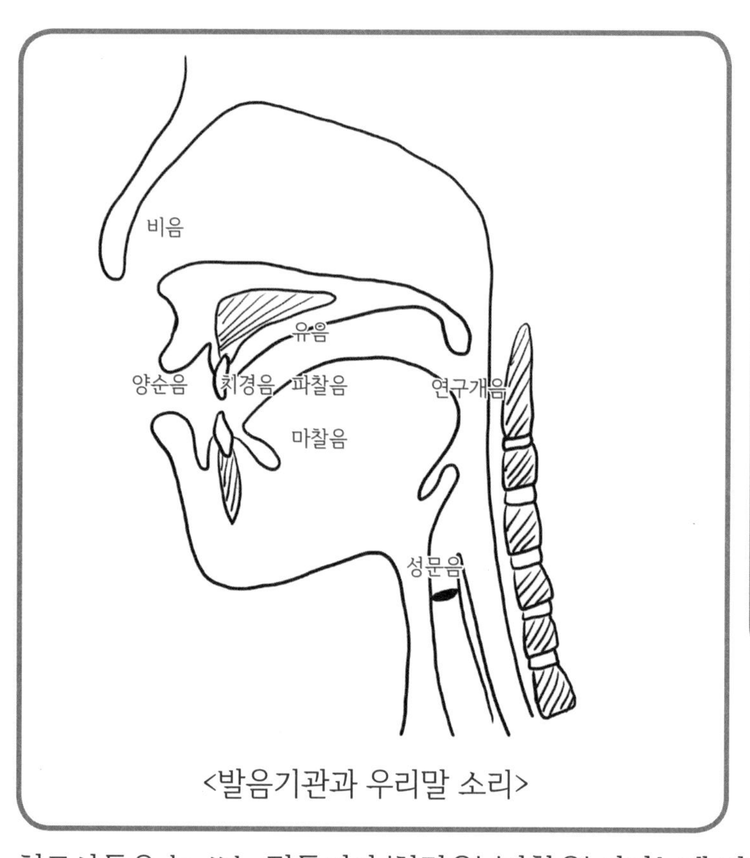

<발음기관과 우리말 소리>

비음 : /ㅁ,ㄴ,ㅇ(받침)/
양순음 : /ㅂ,ㅃ,ㅍ,ㅁ/
치경음 : /ㄷ,ㄸ,ㅌ,ㄴ/
마찰음 : /ㅅ,ㅆ/
유음 : /ㄹ/
파찰음 : /ㅈ,ㅉ,ㅊ/
연구개음 : /ㄱ,ㄲ,ㅋ/
성문음 : /ㅎ/

<자주 쓰는 소리 이름>

치료사들은 늘 쓰는 말들이라 '치경음', '마찰음' 이러는데 어머님들은 잘 모르실 것 같아서 준비했어요. 유음은 종성을 일컫는 설측음과 초성을 나타내는 탄설음으로 나뉘고 설측음보다 탄설음이 훨씬 어렵습니다. /ㅅ,ㅆ/ 탈설음은 아동 발달에 따라 가장 늦게 발달하는소리이니 4살에 /ㅅ,ㅆ/소리 못한다고 너무 염려하지 마세요. 하지만 혹시 다른 원인이 있을 수 있으니 판단은 전문가에게 맡겨 주세요.

위의 자주 쓰는 소리 이름은 편의상 자주 사용하는 대로 나눈 것인데 아동의 오류 음소나 패턴에 따라 다를 수도 있습니다. 예를 들면 비음 오류가 있는 아동은 치료사가 목표에 비음 /ㅁ,ㄴ,ㅇ/을 포함할 것이고 연구개음 오류가 있는 아동은 목표에 연구개음/ㄱ,ㄲ,ㅋ/와 연구개비음/ㅇ/을 포함할 것입니다. 정확한 분류는 다음 페이지의 표를 참고하시면 됩니다.

❷ 자음

방법/위치		양순음	치경음	경구개음	연구개음	성문음
파열음	평음	ㅂ	ㄷ		ㄱ	
	격음	ㅍ	ㅌ		ㅋ	
	경음	ㅃ	ㄸ		ㄲ	
마찰음	평음		ㅅ			ㅎ
	경음		ㅆ			
파찰음	평음			ㅈ		
	격음			ㅊ		
	경음			ㅉ		
비음		ㅁ	ㄴ		ㅇ(종성)	
유음			ㄹ			

▶ **위치** ◀

▶ 양순음 : 윗입술과 아랫입술이 부딪혀 나는 소리 (입술소리)

▶ 치경음 : 혀끝이 위 치경에 붙었다 떨어지면서/ 아래 치경에 붙은 상태에서 바람이 새면서 나는 소리 (잇몸소리)

▶ 경구개음 : 혓몸이 경구개 부분에 닿거나 거의 닿으면서 나는 소리 (입천장소리)

▶ 연구개음 : 혓몸이 연구개 부분에 닿거나 거의 닿으면서 나는 소리 (여린입천장소리)

▶ 성문음 : 성대 사이로 바람만 휙 빠져나오면서 나는 소리

▶ **방법** ◀

▶ 파열음 : 어디가 되었든 막혔다 뚫어지면서 나는 소리

▶ 마찰음 : 거의 닿을 듯 말 듯 하며 좁은 공간을 통해 바람이 세게 나가면서 나는 소리

▶ 파찰음 : 파열음과 마찰음의 특징이 섞인 소리

▶ 비음 : 구강이 아닌 비강이 울리면서 나는 소리

▶ 유음 : 혀를 동글게 말아 내는 소리

❸ 모음

	전설모음	후설모음	
	평순	원순	평순
고모음	ㅣ	ㅜ	ㅡ
중모음	ㅐ	ㅗ	ㅓ
저모음			ㅏ

▶ 전/후설모음 : 혀의 앞/뒤쪽 소리

▶ 평/원순모음 : 입꼬리가 양옆으로 당겨지고 입술 모양이 'ㅡ'가 되면서 나는 소리가 평순모음
입술이 동그랗게 오므려서 나는 소리가 원순모음

▶ 고/중/저 모음 : 턱이 위로 붙으면 고모음, 아래로 뚝 떨어지면 저모음

❹ 위치

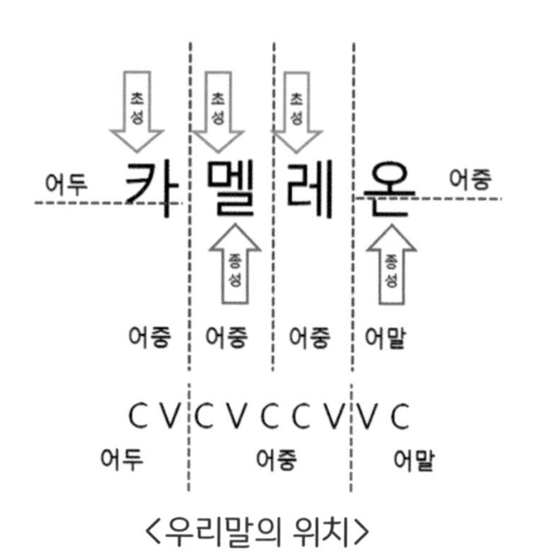

<우리말의 위치>

ㅋ	어두초성
ㅁ	어중초성
받침 ㄹ	어중종성
ㄹ	어중초성
받침 ㄴ	어말종성

❺ 말소리 습득 연령

말소리를 산출할 때 보편적인 순서는 모음 이후에 자음이 나오고, 자음 중에서는 초성이 먼저 종성이 나중에 발달하고 비음과 파열음이 유음과 마찰음보다 먼저 나옵니다. 경구개음과 연구개음보다 양순음과 치경음이 먼저 나옵니다. 시각적 단서를 이용하기 쉽기 때문이겠죠?

자음	습득 연령
/ㅃ/, /ㄸ/, /ㅎ/, /ㅍ/	2세 후반
/ㄲ/, /ㅌ/, /ㅂ/, /ㅁ/, /ㄷ/, /ㅉ/, /ㅊ/	3세 전반
/ㄴ/, /ㅈ/	3세 후반
/ㅋ/, /ㄱ/, /ㅇ/	4세 후반
/ㄹ/	5세 전반
/ㅅ/, /ㅆ/	-

연령	음소발달단계			
	완전습득연령 95~100%	숙달연령 75~94%	관습적연령 50~74%	출현연령 25~49%
2;0 ~ 2;11	ㅍ, ㅁ, ㅇ	ㅂ, ㅃ, ㄴ, ㄷ, ㄸ, ㅌ, ㄱ, ㄲ, ㅋ, ㅎ	ㅈ, ㅉ, ㅊ	ㅅ, ㅆ
3;0 ~ 3;11	ㅂ, ㅃ, ㄸ, ㅌ	ㅈ, ㅉ, ㅊ, ㅆ	ㅅ	
4;0 ~ 4;11	ㄴ, ㄲ, ㄷ	ㅅ		
5;0 ~ 5;11	ㄱ, ㅋ, ㅈ, ㅉ			
6;0 ~ 6;11	ㅅ			

❻ 일반적인 오류패턴

오 류	소거연령	예
반복/자음 조화	3	사탕-탕탕, 빗-빕, 포도-토도
어말종성 생략	3	책-채, 병원-병어
긴장음화/탈기식음화	3	포도-뽀도(또)
연구개음의 전설음화	3	사탕-사탄, 거북이-더부지, 호랑이-호라니
유음의 비음화/파열음화	3	고래-고내, 리본-니본, 라면-나면
유음의 단순화	4	이빨-이빠이, 오리-오이, 고래-고애, 개구리-개구이, 호랑이-호양이
전형적 어중 단순화	4;6	호랑이-호라이, 침대-친대, 없어-어f어
파찰음화/경구개음화	4;6	없어-업쩌, 업쎠, 했어-핸쩌
파찰음/마찰음의 파열음화	5	색종이-택똥이, 치마-티마, 자동차-다동타
치경마찰음의 치간음화	7	싸워-따워(혀끝을 치아사이에 넣고 발음) 영어의 th발음

위의 오류 패턴은 대체로 아이들이 겪는 패턴들입니다. 이 오류와 전혀 상관없는 패턴을 보이거나 소거 연령이 지났음에도 계속 오류를 보인다면 치료를 하셔야 합니다.
예를 들어 3세가 거의 다 된 아이가 토마토를 [또마또]라고 했으면 정상적인 오류이니 기다려보셔도 되지만 [코마코] 했다면 주변 SLP에게 도움을 요청하셔야 한다는 것입니다.

▶ SLP에게 의뢰를 하셔야 하는 오류 몇 가지

비음(ㅁ, ㄴ, ㅇ(종성))이 탈 비음화되는 경우 ex. 머리-버리
다른 음들이 제일 어려운 마찰음으로 변하는 경우 ex. 침대-심대
평음이나 경음이 격음화되는 경우 ex. 바다-파다
파열음을 비롯하여 다른 음들을 대체로 연구개음화하는 경우 ex. 토마토-코마코
다른 위치의 음들을 성문음에서 보상 조음하는 경우
ex. 사탕-하탕(대체로 구순구개열 아동들에게서 많이 발견됩니다.)
자음의 위치가 서로 바뀌거나 다른 위치로 이동하는 경우 ex. 빨대-딸빼

❼ 치료 기법

① 운동 접근법 : 운동능력의 문제
- 운동능력을 배양시키고
- 쉬운 것부터 훈련하며
- 반복 훈련을 합니다.
  ex. 굴 10회 해보자

② 언어 접근법 : 음운지식의 문제
- 음운 지식을 확립시키고
- 의미가 있는 것부터 알려주고
- 단어를 이용하여 말소리들이 서로 다른 의미를 갖고 있음을 알려주어야 합니다.
  ex. 굴이 뭐야? 둘이 뭐야? (변별)

❽ 우선 치료의 고려사항

① 정상 발달 순서에 맞게 치료 음소를 정합니다.
② 출현 빈도가 높은 음소부터 치료합니다.
③ 자극 반응도가 높은 음소부터 치료합니다.
④ 오류가 일관적이지 않은 음소와 오류의 정도가 중간 정도인 음소부터 치료합니다.

❾ 우리아이 조음치료 해야 할까요?

조음 치료 시 고려하셔야 할 것이 여러 가지가 있습니다. 정상 음운 발달의 순서, 음운의 출현 빈도, 자극 반응도, 오류의 일관성과 오류의 정도를 고려하셔야 합니다. 3세인데 말길이가 길고 어휘 다양도가 높은데 양순음을 제대로 발음하지 못하면 전문가를 찾아가셔야 합니다. 4세인데 초어가 나온지 얼마 되지 않았고 말길이도 짧고 어휘 다양 도도 높지 않다면 조음 치료보다는 어휘 증진을 목표로 삼으시는 것이 옳습니다.
위의 내용을 차치하고 만 3세가 넘었는데 처음 만나는 제삼자가 아이의 말을 반 이상 못 알아듣는다면 문의를 해보시는 것이 좋습니다.

▶ 용어해설

- 변별 : 구별이 가능한지에 대한 여부입니다.
- 자극 반응도 : 따라 말하기를 시켰을 때 잘 비슷한 소리를 잘 낼수록 자극 반응도가 높습니다.
- 자질 : 음소들이 가진 특징입니다.
- 말 명료도 : 듣는 사람의 입장에서 얼마나 잘 이해되는지에 대한 척도입니다.
- 일반화 : 열심히 훈련한 소리를 대화 상황에서 무리 없이 잘 사용하게 하는 것입니다.
- 자기 모니터링 : 아동 스스로 자기가 낸 소리가 옳고 그름을 판단할 수 있는 능력입니다.
- 음운 지식 : 한 언어의 음소 체계에 대한 지식이 아동에게 있는지 없는 지입니다.
  음운 지식이 있으면 조음 치료가 보다 효율적입니다.
- 성문하압 : 성대 밑으로 생성되는 압력을 말합니다.

<참고문헌>
우리말 소리의 체계. 신지영,차재은. 한국문화사
조음음운 장애 워크북. 김민정
Treating Articulation and Phonological Disorders in Children. Dennis M. Ruscello

이제부터 어머님들이 이해하기 쉽게 알려드리고 접근하기 쉬운 방법들을 알려드리겠습니다. 집에서 활용해보시고 아이의 치료사와 항상 상의하세요. 궁금한 것이 있으시면 치료사에게 늘 질문하시고 원하시는 자료가 있으시면 치료사에게 요청하세요. 그리고 계속 말씀드리지만, 치료방법은 정답이 없습니다. 다른 집 아이는 이런 방법으로 고쳤다는데 우리 아이는 왜 효과가 나타나지 않을까는 우문이라는 것입니다. 다른 집 아이는 그 방법이 잘 통했던 것이고 내 아이한테는 그 방법이 맞지 않을 뿐입니다. 그럼 얼른 다른 방법을 강구하셔야겠죠?

말소리는 폐에서 생기는 바람을 성문하압을 이용하여
성대를 울리고
조음기관을 움직여 내야 합니다.
기본적으로 성문하압을 만들지 못하면
힘이 없고 새는 소리를 낼 수도 있다는 말이 됩니다.
호기가 충분하지 못하고 뭔가 힘이 없다고 느껴지신다면
우선 성문하압을 키울 수 있도록
윗몸일으키기, 풍선불기 등을 이용하셔서
복근을 단련시켜주세요.
말을 할 때 사용하는 기류는 구강 기류가 대부분이지만
비강 기류를 이용할 때도 있습니다.
입과 코로 바람을 잘 운용할 줄 알아야 합니다.

1 휴지불기

준비물 : 각티슈

입으로 바람을 불어 휴지가 날리고 있음을 보여주고 따라 하게 해주세요. 코로 바람이 새는 아이들은 코를 살짝 잡아주셔도 됩니다.

2 코 풀기

준비물 : 우유, 휴지

콧바람을 운용하지 못하는 아이들은 대체로 코 풀기도 잘 못 합니다. 아이들은 시각적 단서를 좋아합니다. 그런 의미에서 조금 지저분해 보일 수는 있지만, 아이들을 이해시킬 수만 있다면 잠시 지저분해지고 품위 유지를 못 하는 것쯤이야 얼마든지 참을 수 있습니다.
코밑 인중 부분에 우유를 살짝 묻힙니다. 너무 살짝 묻히면 바람에 날아간 우유가 티가 안 날 테니 적당히 묻히셔야 합니다. 묻히고 입을 다문 상태에서 콧바람을 일으켜 우유가 아래로 날리도록 합니다. 일단 보여주시고 아동에게 시키시는데 입을 다물지 못하면 입을 살짝 잡아주셔도 됩니다.

불기는 구강 기류와 비강 기류를 잘 운용하기 위함이지 발성하는 데 큰 영향력을 끼치는 것은 아니에요. 그러니 목숨 걸고 불기 훈련 시키지 마세요. 촛불 실제로 켜 놓고 계속 불게 하는 것도 위험해요. 호흡 조절 잘못해서 코로 숨 들이마실 때 자칫하면 데일 수 있어요.

3 비닐장갑을 불어요

by. 이지은

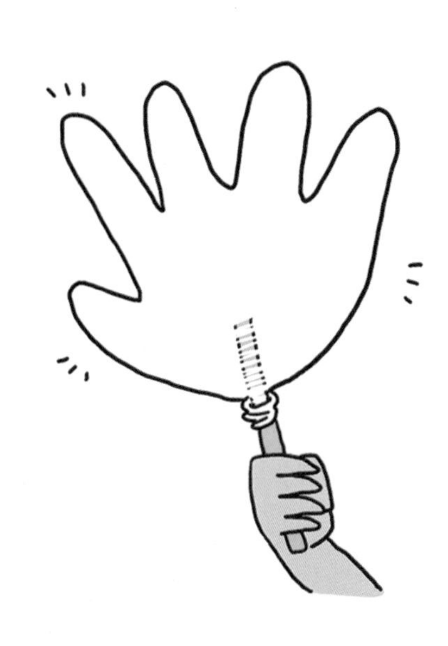

준비물 : 비닐장갑, 빨대, 테이프

불기 훈련을 하면 대표적으로 떠오르는 활동이 비눗방울과 풍선입니다. 불기 활동에도 여러 가지 단계가 있습니다. 이 활동은 비눗방울 불기가 가능하지만, 풍선 불기는 어려워하는 아이들에게 실시하면 좋습니다. 빨대 구멍의 크기 및 길이 조절을 통해 과제의 난이도를 조절합니다. 구멍이 작을수록, 길이가 길수록 어렵습니다.

1. 비닐장갑의 손목 부분을 빨대와 연결하여 테이프로 고정해줍니다.
2. 빨대로 바람을 불어 넣습니다.
3. 빵빵해질 때까지 붑니다.
4. 장갑이 빵빵해지면 다시 빨대를 통하여 장갑 안에 있는 공기를 들이마십니다.
5. 반복적으로 활동하고 장갑의 빵빵한 상태를 유지하여 손 풍선 놀이로도 활용할 수 있습니다.

4 물을 보글보글 불어요

by. 이지은

준비물 : 빨대, 컵, 미숫가루, 물

불기를 어느 정도 수행할 수 있으나 그 강도가 약한 친구들한테 도움이 되는 활동입니다. 같은 준비물이 모두 필수는 아니지만, 물의 양을 쉽게 확인할 수 있어서 계량컵을 사용하고, 활동하다 보면 아이들이 빨대를 통해 먹게 되는 경우가 많아 미숫가루를 사용하고 있습니다. 물의 양이 많을수록, 빨대의 구멍 크기가 작고, 길수록 어렵습니다.

1. 컵에 물을 조금씩 담고 빨대를 꽂습니다.
2. 보글보글 불기를 시작합니다.
3. 점차 물의 양을 늘리고 빨대의 크기도 바꾸어주면서 난이도를 조절합니다.
4. 물로 거품을 잘 만드는 친구들은 물의 양을 적게 하여 미숫가루를 타줍니다.
   많은 양의 물로 시작하게 되면 상당한 양의 미숫가루가 필요하니, 적은 물의 양으로 시작하는 것이 좋습니다.
5. 물의 양은 같게 하고 점도를 점진적으로 증가시켜 압력의 변화를 주어 과제의 난이도를 조절합니다.

5 종이컵 불기

준비물 : 종이컵

거실과 같이 넓은 공간에 반환점을 만들어놓고 아이와 나란히 컵을 입 또는 코로 바람을 불면서 출발합니다. 반환점을 돌아 시작점까지 먼저 오는 사람이 이깁니다.

6 탁구공 달리기

준비물 : 탁구공, 탁구공 넓이의 긴 널빤지

탁구공을 시작점에 놓고 입 또는 코로 바람을 불면서 탁구공을 이동시킵니다. 먼저 골인 점에 넣는 사람이 이깁니다.

7 코끼리 휘슬

준비물 : 파티 휘슬(코끼리 휘슬)

코끼리 코가 확 펴지도록 세게 불면 끝!

8 새소리 휘슬

준비물 : 새소리 휘슬, 물

휘슬 안에 물을 넣고 바람을 불면 예쁜 새소리가 들립니다. 이 휘슬은 인터넷 검색하시면 구매 가능합니다.

9 창문에 그림그리기

거울이나 창문에 '하~'로 입김이 서리도록 만들어주시고 그림을 그리시면 됩니다. 간단하죠?
차에서 이동 중에도 할 수 있는 놀이입니다.

대부분 관악기는 바람을 이용하여
소리를 내게 되어 있습니다.
그런데 이 카주라는 녀석은 조금 독특해서
성대를 울려야만 소리가 납니다.
아무리 바람을 잘 운용한다 해도
성대를 울리지 않고는 소리를 낼 수 없습니다.

1 카주

by. 이효진

준비물 : 카주

악기의 넓은 부분을 입술로 물고 '아' 또는 '음' 등으로 성대를 울리면 됩니다. 방법을 도저히 모르겠다 하시면 인터넷에 검색하시면 됩니다. 부는 방법이 동영상으로 제공되고 있고 뚱이쌤 블로그에도 올려드렸습니다. 카주연주를 들을 수 있는 노래로는 '10cm - 죽겠네'가 있으니 들어보세요. 카주는 인터넷 구매가 3,000원 정도입니다.

1 소리 만들어주기

by. 이효진

치료를 하다 보면 무발화의 아동들을 만나는 경우가 있습니다. 어떻게 하면 아이가 소리를 낼까 많은 고민을 하실 텐데요. 생리적인 발성을 이용하면 아동도 소리를 쉽게 만들어 낼 수 있습니다. 가령 하품을 한다거나 울 때 치료사가 손을 아동의 입에 대고 뗐다 붙였다 하면 인디언들이 내는 /아바바바바바/같은 소리를 만들 수 있습니다. 또 이 활동을 선풍기 앞에서 바람을 맞으며 할 수도 있습니다. 그리고 아동이 울 때 입술을 오므려 주고 우는 구강 안의 압력이 터지면서 소리를 낼 수도 있습니다.

2 힘을 주어 일어나요

by. 이지은

이 활동은 말을 할 때에 목이나 성대에 힘을 많이 주고 말하는 아이에게는 적합하지 않습니다. 그리고 아이의 안전을 위해서 바닥보다는 매트나 침대 위에서 실시하도록 합니다. 활동이 익숙해질 때까지는 각각의 손을 마주 잡도록 합니다. 뒤로 너무 많이 눕게 되면 아이가 넘어지거나 엉덩이를 바닥에 붙이려고 하는 경우가 많으므로 조절이 필요합니다.

1. 아이와 마주 보고 앉은 후 발을 살짝 눌러 줍니다.
2. 아이의 발을 눌러준 상태에서 양손을 모두 잡고 아이만 일어나도록 유도합니다.
3. 아이는 무릎을 편 상태에서 뒤로 조금씩 눕습니다.
4. 손을 잡고 누운 상태에서 '으~차!' 소리를 함께 내며 일어나기를 합니다.

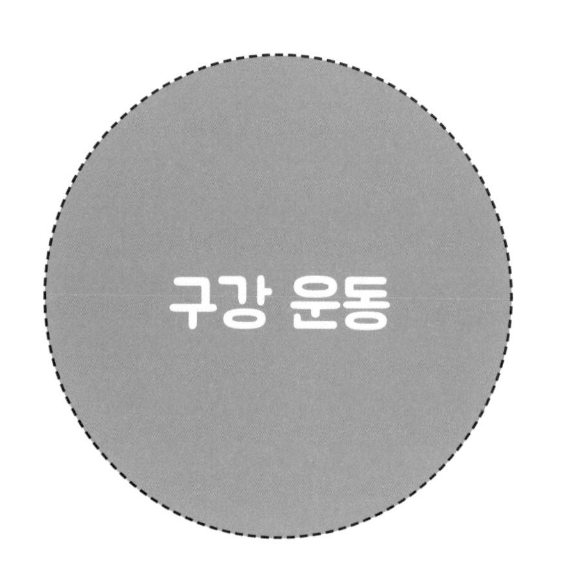

구강 운동

그림카드를 보여주거나
엄마가 모델링을 해준 후 따라 해 보라고
할 수도 있습니다.
하지만 혀 운동은 해보시면 아시겠지만
혀의 근육을 운동시켜주는 것이기 때문에
재미도 없고 힘듭니다.
조금 오래 하면 목이 뻐근해짐을 느낄 수 있을 정도로요.
카드를 이용하고 싶으신 어머님께서는
인터넷으로 혀 운동 카드를 구하셔도 되고
몰을 이용하여 카드를 구매하셔도 됩니다.

1 메롱하기

아동과 마주 보고 메롱 놀이하시면 됩니다. 정말 간단하죠? 상하좌우 방향을 바꿔서 해보세요.

2 치실을 우물우물 넣기

by. 이지은

준비물 : 치실

실을 사용해도 되겠지만 위생을 위해 치실을 사용합니다. 치실의 길이는 아이의 수행력에 따라 길이를 늘여 난이도를 조절합니다.

1. 치실의 길이를 10cm 정도로 잘라줍니다.
2. 치실의 끝을 혀와 치아, 입술로 잡을 수 있도록 유도합니다.
3. 손을 사용하지 않고 치실을 입안으로 넣을 수 있도록 시범을 보여 줍니다.
4. 아동이 잘하지 못할 때는 치실을 잡고 안쪽으로 조금씩 넣어줍니다.
5. 치실 넣기를 아이 혼자 잘 수행하면 시합으로 진행합니다.

집에서 하실 때는 굳이 치약 냄새나는 치실을 사용하지 마시고 국수, 파스타면, 라면을 익혀서 활동하시면 더 재미있습니다.

3 칫솔로 마사지해요

by. 이지은

조음 훈련을 진행하기 전에 우리 아이가 구강 조음기관의 감각이나 운동능력이 얼마나 되는지 확인하여야 합니다. 이러한 과정 없이 아이에게 조음(발음)훈련만 반복적으로 시킨다면 증진 또한 더디고 아이 또한 매우 힘들어할 것입니다. 이 활동은 아이가 구강 감각을 느끼게 하고 혀의 상하, 좌우 운동을 유도할 수 있는 활동입니다.

1. 아이에게 제시할 자극 및 운동 유도를 시범적으로 보여줍니다.
   갑작스럽게 구강내의 자극을 제시하면 아프지 않아도 아이가 거부할 우려가 있습니다.
2. 칫솔의 모가 입안의 볼을 향하도록 이를 닦듯이 위에서 아래로 쓸어내리며 자극을 제시합니다.
3. 좌, 우 교대로 시행합니다. 아이에 따라 5-10회씩 조절하며 약 3분 정도 자극을 제시합니다.
   횟수는 정해져 있는 것은 아니지만 한쪽에 5회 이상 연속적으로 하게 되면 아이가 침을 흘리기 시작합니다.
4. 자극 제시 후 구강 내, 외에서 칫솔이 있는 위치로 혀를 움직일 수 있도록 유도합니다.

칫솔의 솔을 아파하는 아이들에게는 실리콘 칫솔을 이용하시면 됩니다.

4 접시 핥아먹기

준비물 : 깨지지 않는 접시, 꿀 등의 끈끈한 단 음식 또는 유산균 가루

접시에 꿀 등을 바르고 그 위에 유산균 가루를 뿌려줍니다. 이 방법은 변비가 있는 짜군을 치료하면서 일거양득이었던 방법이었습니다. 유산균 가루를 굳이 구하지 않으셔도 꿀만을 이용하셔도 됩니다. 혀를 길게 빼고 접시를 핥아먹도록 합니다. 혀의 힘과 운용력을 길러주는 방법입니다.

5 꿀 빨아먹기

준비물 : 꿀 등의 단맛이 나는 음식

아동의 입술에 꿀 등의 단맛이 나는 음식을 발라줍니다. 오직 혀만 이용하여 왼쪽 입꼬리부터 윗입술과 아랫입술을 훑어 오른쪽 입꼬리까지 혀를 떼지 않고 핥아먹도록 합니다. 어디서 시작하든 상관없지만 위, 아랫입술을 모두 한 번에 핥아먹을 수 있도록 해주세요.

6 볼에 붙은 포스트잇 떼기

포스트잇을 양쪽 볼에 붙여줍니다. 혀끝에 힘을 빠짝 주고 볼 안쪽에서 알사탕 모양을 만들어 포스트잇을 떼어내게 합니다. 혀의 힘과 운용력을 길러줍니다.

7 얼굴로 춤춰요

by. 이지은

준비물 : 휴지, 물, 분무기 또는 컵

구강 조음기관의 운동 훈련에서 빠질 수 없는 안면운동 활동입니다. 눈을 세게 감기, 눈과 입을 크게 확장하기, 얼굴 찡그리기 등의 안면운동과 병행하여 실시하면 좋습니다.

1. 휴지를 4~5칸 정도 뜯어 중심 부분을 물로 적십니다.
2. 볼에 젖은 휴지를 붙이고 손을 사용하지 않고 안면근육을 움직여 떼기를 시작합니다.
3. 휴지의 칸이 줄어들수록, 휴지가 많이 젖을수록 어려워지니 난이도를 조절하여 진행합니다.

8 김 떼어먹기

준비물 : 조미김

왜 조미김으로 하냐면 조미가 안 되어 있는 김은 맛도 없고 너무 딱 달라붙어 어른도 떼기 힘들거든요. 그래서 조미김을 이용합니다. 김을 손가락 한 마디 정도의 크기로 잘라 입천장에 붙여줍니다. 혀끝을 이용하여 김을 떼어먹을 수 있도록 해줍니다. 이 방법은 특히 /ㄹ/의 위치를 알려줄 수 있습니다.

9 입술도장 찍기

by. 이지은

1. 가로세로 10cm 정도 되는 크기의 흰 종이를 준비합니다.
2. 아이와 함께 입술에 색이 있는 립글로스를 바릅니다.
3. 종이를 손바닥 위에 올려놓고 입술을 동그랗게 만든 후 종이에 찍는 방법을 보여줍니다.
4. 아이가 손바닥 위에 종이를 올려놓고 찍기를 어려워하면 종이를 입술로 가져가는 것을 도와줍니다.
5. 위의 활동을 잘 수행하면 종이 안에 동그라미를 그려 넣고 동그라미 안에만 입술 도장을 찍을 수 있도록 합니다.
6. 입술이 찍혀 있는 종이로 발음 연습 카드 또는 편지 카드 만들기로 활용하기도 합니다.

또박또박 말해요

10 과자로 입모양 만들기

by. 이효진

❶ 양파링으로 입 모양 만들기

- 모음 /아/ : 동그란 양파링 과자를 입 앞에 대고 양파링보다 입을 더 크게 벌려 보자고 촉진하여 모음의 정확도를 향상해보아요.
- 모음 /우/ : 양파링 안에 입술을 동그랗게 말아 넣어보도록 촉진해요.

❷ 빼빼로를 이용해 입 모양 만들기

양파링과 마찬가지로 빼빼로를 입 앞에 두고 빼빼로를 가로나 세로로 세워 입 모양을 따라 해 볼 수 있어요. 구강 기능훈련을 흥미롭게 할 수 있고 훈련을 다 한 후에는 강화로 빼빼로를 먹어도 좋겠네요.

14 '랄랄라' 노래부르기

동요의 가사 대신 '랄랄라'로 노래를 합니다.

다른 활동과 함께
명료도를 높일 수 있는 활동입니다.

1 신문.잡지에서 단어찾기

by. 이효진

아동과 함께 아동이 오 지음 하는 단어를 중심으로 신문이나 잡지에서 단어 찾기 게임을 합니다.
가령 마찰음 " "ㅅ"이 첫 글자에 들어간 단어를 3개 먼저 찾는 사람이 이기는 거야" 하고 게임을 시작하고 치료사와 아동이 신문이나 잡지를 찾기 시작합니다. 그리고 먼저 찾은 사람이 그 단어가 나온 문장을 말하도록 합니다.
아이가 연습하는 수준에 맞게 단어 수준이나 문장 수준으로 치료사가 적절히 적용하여 연습하면 지루하지 않게 연습할 수 있습니다.

2 내 말을 맞춰봐

아동과 소리를 내지 않고 입 모양만으로 말소리를 알아맞히는 게임을 합니다. 입술을 많이 움직이지 않아 말 명료도가 낮은 아동을 대상으로 하면 좋겠지요?
알아맞히기 쉬운 모음이나 양순음부터 쉬운 단어로 시작하여 점점 어려운 단어로 나아가며 단음절부터 다음절로, 문장으로 복잡도를 높이면 좋습니다. 아동과 치료사가 서로 번갈아가며 게임을 하고 집에서 엄마와 같이해도 좋습니다.

3 어둠속에서 말하기

1. 치료실 어둡게 해두고 치료사와 아동이 대화를합니다. 말 명료도를 알아보기 위해 하는 활동이에요. 아동과 여러대화들을 하면서 아동의 말이 불분명할 때 "뭐라고?" 하고 물어보며 명료화 요구를 합니다. 그럼 아동은 자신의 오조음을 다시 조음하는 것이죠.
   그렇게 치료사와 아동이 서로 틀린 발음을 지적하며 점수를 매겨 누가 이기고 졌는지 게임을 할 수 있습니다. 반복적인 활동을 하며 아동이 self-monitoring 능력도 기대할 수 있겠죠.

2. 오늘 아동이 연습할 발음들을 벽에 붙여놓습니다. 플래시를 이용하여 어둠 속에서 숨겨진 그림들을 찾아가며 해당하는 낱말을 연습할 수도 있고 수준에 따라 찾은 단어를 이용한 문장 만들기 게임을 할 수도 있습니다.

아이가 자신의 오조음을
청각적으로 변별할 수 있도록 하여야 합니다.

1 확인하기

될 수 있으면 오감을 모두 이용하여 최대 자극으로 제공해주세요.

"/ㅅ/는 어떤 느낌이 들어?"
- 뱀이 기어가는 느낌, 바람이 많이 부는 느낌 등

"/ㅍ/는 어떤 느낌이 들어?"
- 바람이 세게 갑자기 나올 것 같지? 침이 많이 튈 것 같지?

"/ㄱ/는 어떤 느낌이 들어?"
- 막히는 느낌

2 분리하기

"엄마가 하는 말에 /ㅅ/가 들어가면 손들어야 해."
"엄마가 하는 말에 /ㄱ/가 들어가면 컵에 사탕을 넣어."

3 자극하기

쉽게 강세 놀이 생각하시면 됩니다. 목표음을 강하게 혹은 약하게, 짧거나 길게, 크거나 작게 하여 다양하게 들려주시면 됩니다.

4 최소짝 만들기

▣ 감 그림 보여주고 엄마가 [감]이라고 하는지 [밤]이라고 하는지 듣고 맞추면 카드 획득!

▣ 많은 수의 카드를 펼쳐놓고 "엄마가 말하는 카드 찾아봐." - 감, 밤, 담처럼 최소짝을 최대한 찾아서 이용하세요.

5 변별하기

▣ 손들기

그림 카드를 보여주고 "엄마가 잘 말하면 손을 들어."

▣ 컵에 사탕 넣기

그림 카드를 보여주고 "엄마가 잘 말하면 컵에 사탕을 넣어."

"엄마가 [다]라고 말하면 이쪽 컵, [가]라고 말하면 이쪽 컵에 사탕을 넣어."

▣ 토끼 탈출시키기

"엄마가 [토띠]라고 말하면 토끼를 그냥 둬야 하고 [토끼]라고 말하면 토끼를 탈출시켜야 해."

▣ 벽돌빼기

"엄마가 [미러]라고 말하면 벽돌을 밀어서 빼야 하고 [미어, 미여]라고 말하면 밀면 안 돼."

그리고 피코벨로를 이용하여 [널어]로 하셔도 되겠네요.

여기까지가 전통적인 치료기법을 이용한 기본적인 조음 훈련 방법입니다.
이 기법들을 각 놀이에 적용하여 놀면서 훈련하시면 됩니다.

목표 음소별 집중적으로 연습할 수 있습니다.

1 /ㄱ,ㄲ,ㅋ/ 연구개음 목표

▣ 아빠와 물 마시면서 건배하며 "ㄱ, 캬~"하며 /ㅋ/소리내기를 연습할 수 있습니다.
▣ 코 고는 흉내 내기
▣ 목에 걸린 가시 빼는 소리내기
▣ 방에 불 켜고 끄는 놀이하며 /ㅋ, ㄲ/소리내기를 연습할 수 있습니다.

▣ 자려고 누워있는 시간에 '소통하며 놀아요'의 활동을 이용하시면서 플래시 앞에 뭔가를 놓고 플래시를 켤 때마다 다른 것들이 보이게 해서 아이의 흥미를 끌어주시며 /ㅋ, ㄲ/소리를 연습할 수 있습니다. 누워서 연구개음 소리를 내면 중력에 의해 근육이 쳐지기 때문에 더 쉽게 소리 낼 수 있습니다.

▣ 빵을 잔뜩 먹여놓고 개구리, 강아지, 거미 이런 /ㄱ,ㄲ,ㅋ/가 포함된 소리들 연습시켜보세요. 먹을 것이 입에 잔뜩 들어 있으면 혀가 후방화되면서 연구개음을 낼 수 있는 구강 환경이 됩니다.

▣ 누워서 '코끼리 아저씨' 노래하기
▣ 가글 하기, 가글 소리내기

2 /ㅅ,ㅆ/ 마찰음 목표

▣ 커피 스틱을 짧게 잘라 입술 사이에 물고 바람을 내보내게 해주세요.
▣ 뱀의 ‘스~’ 기어가는 소리를 모방하게 해주세요.
▣ 아이가 쉬하는 그림을 오줌 줄기 따라 그리기를 하면서 ‘쉬~’ 모방하게 해주세요.

3 /ㅌ/ 파열음 목표

▣ 끈적한 요플레를 윗니 뒤에 묻혀 놓고 혀끝으로 맛보듯이 먹게 하여 위치를 알려주세요.

▣ 거울 앞에서 ‘퉤퉤’ 침이 튀도록 침 뱉기를 해보세요.

4 /ㅁ,ㄴ,ㅇ/ 비음 목표

▣ 허밍으로 노래 부르기 해보세요.
▣ 코의 울림을 손가락을 대서 느끼게 해주세요.
▣ 똥 싸는 장난감 이용하여 ‘응아’ 연습해주세요.
▣ '맴맴 매미 ' 워크북에 있는 그림을 활용해서 연습해보세요.
▣ '앵~모기' 워크북에 있는 그림을 활용해서 연습해보세요.

5 /ㅃ,ㅍ/파열음 목표

▣ 총 놀이 하면서 '빵야!''빵!'

▣ 물풍선 던지며 터트릴 때 '펑!, 퍽!'

▣ 방귀 소리 흉내 내며 '뿡뿡'

▣ 딱지 놀이하며 '파'

6 /ㅊ/ 목표

▣ 권투 놀이하며 '치치'

▣ 기차놀이 하며 '칙칙폭폭'

구강운동카드

▣ 과자 따먹기 놀이를 해보세요.
▣ 분유 안에 사탕을 숨겨놓고 혀끝으로 찾기 놀이를 해보세요.
▣ 얼굴에 포스트잇을 붙이고 얼굴의 모든 근육을 이용하여 떼어내기 놀이를 합니다.
▣ 접시에 꿀을 발라 핥아먹습니다.
▣ 종이컵을 엎어놓고 바람을 불어 종이컵을 옮겨보세요.
▣ 큰 단추에 실을 엮어 입에 물고 단추를 당겨도 단추가 밖으로 빠지지 않도록 입술에 힘을 주고 버팁니다.
▣ 입천장에 땅콩버터를 바른 후 혀끝으로 핥아먹도록 합니다. 조미김을 이용해도 됩니다.
▣ 입술에 단 것을 묻힌 후 혀끝으로 핥아먹도록 합니다.

말더듬 가정지도

느리게, 충분한 여유를 가지고 말합니다.

가정의 말 속도를 전체적으로 느리게 말을 하는 환경으로 바꾸어 줍니다. 일반적인 성인은 1초에 3.0~3.5음절 속도로 말을 합니다.

부모는 자녀의 대화가 끝나고 1~2초 후에 대화를 시작해서 아동의 부담을 덜어주고 충분한 여유와 쉼을 가집니다.

2 짧고 간단한 문장으로 말합니다.

길고 복잡한 문장은 아동에게 부담을 주고 말더듬 발생 가능성을 높일 수 있습니다. 가정에서 짧고 간단한 문장을 사용하여 자녀에게 의사소통 압박을 줄 일 수 있습니다.

부드러운 목소리로 말합니다.

부모가 부드럽게 말하면 자녀도 따라서 부드럽게 말을 할 수 있습니다.

자연스럽게 부드럽게 말하는 방법을 배우게 되므로, 말이 덜 막히게 됩니다.

자녀의 말 보다 내용에 귀를 기울입니다.

자녀가 말하고자 하는 것을 아무 거리낌 없이 말하게 하고 가족들이 주의 깊게 자녀의 말을 들음으로써, 자신이 말하는 내용이 중요하다는 느낌이 들도록 해 줍니다.

자녀의 말하는 도중에 끼어들거나 방해하지 않습니다.

자녀의 말에 끼어들고 방해를 하게 되면 자녀는 말을 빨리하라는 압박을 받을 수 있습니다.

자녀의 말과 행동에 긍정적으로 반응해줍니다.

자녀의 말과 행동에 직접적인 칭찬과 제스처 그리고 자녀의 말을 받아들이는 말을 많이 함으로써 부모가 자녀의 말을 주의 깊게 듣고 있다는 것을 표현해 줄 수 있습니다.

질문을 줄이고, 개방형 질문의 사용을 줄입니다.

'어제 누구랑 뭐 했니?' 와 같은 개방형 질문은 자녀에게 큰 압박을 줄 수 있습니다. 많은 수의 질문은 자녀에게 가족이 시험과 감시를 하고 있다는 느낌을 줄 수 있습니다.

부모는 자신의 말로 인하여 자녀가 말을 더듬는다는 생각을 가지지 않아야 합니다.

ON

PART.06 감각통합놀이

PART.06

감각통합놀이

알아두면 좋아요!

바른자세로 앉아요

1. 앉을 때 다리 모양을 알파벳 'w' 모양으로 앉지 않아요.
2. 다리를 펴요.
3. 허리를 펴요.
4. 엉덩이를 뒤로 빼주어요.
5. 고개는 약간 숙일 수 있도록 해요.

'고유수용성 감각'이란?

자신의 신체 위치, 자세, 평형 및 움직임(운동의 정도, 운동의 방향)에 대한 정보를 파악하여 중추신경계로 전달하는 감각을 말해요.

눈을 감고 음료수를 들어서 마신다고 했을 때 우리는 시각적인 정보에 의하지 않고도 어느 정도의 힘으로 음료수를 집어야 하며, 어떤 속도로 입에 가져가야 음료수가 쏟아지지 않는지 알 수 있고, 또한 눈으로 입이 어디에 있는지 확인하지 않더라도 정확하게 음료수를 입으로 가져갈 수 있어요.

이처럼 고유 수용성 감각은 몸의 각 부분이 어디에 있으며, 어떻게 움직이는지를 뇌에 전달해요. 따라서 고유 수용성 감각이 잘 조직화하지 않은 경우에는 눈으로 볼 수 없는 상황에서 무엇인가를 실행하는 데 매우 어려움을 보이거나 두려워할 수 있어요.

1 비눗방울 놀이

아이가 비눗방울을 불며 구강 활동을 통해 각성 조절에 도움이 되며, 비눗방울이 공중에 떠다니는 것을 눈동자가 따라가므로 시각 추적에 도움이 됩니다. 또한, 날아다니는 비눗방울을 양손으로 손뼉치며 잡는 것을 통해 촉각 자극, 양측 협응 기능에 도움이 됩니다.

2 풍선 배드민턴

가정에서는 주걱을 이용해 풍선을 주고받는 활동으로 적용할 수 있답니다. 큰 풍선을 잘 친다면 작은 물풍선을 불어서 쳐보세요! 더 재미있고 더 많은 집중능력이 요구된답니다. 발로 차게 하거나 머리로 치게 하는 등 다르게 응용해 볼 수도 있습니다.

3 미끄럼틀에서 공굴리기

가정에 미끄럼틀이 있다면 부모님이 미끄럼틀 위에서 공, 인형 등 장난감을 내려보내면 아동이 밑에서 잡는 활동입니다. 아동은 공을 잡기 위해 타이밍 계획이 요구될 것이고 시각 추적, 시각집중 능력이 향상될 수 있지요. 아동들은 뭐든 굴러다니는 것을 좋아한답니다.

4 연필쥐기 보조도구

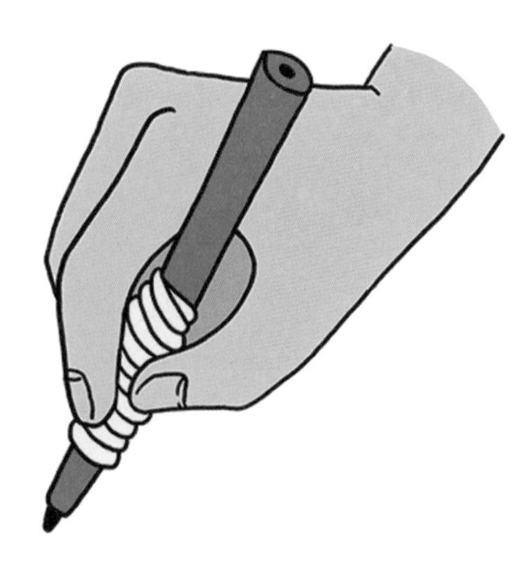

손가락의 동시 수축이 어려운 아이들은 얇은 연필을 쥐기 힘듭답니다. 엄지와 검지 중지를 이용해 잡아야 더 기능적으로 쓰기가 가능하지만 이런 아동들은 다섯 손가락을 모두 이용해 연필을 쥔답니다. 이럴 때는 연필을 잡는 부분을 두껍게 만들어 주거나 기둥을 만들어 주면 많은 도움이 된답니다.

5 클레이 가위로 자르기

준비물 : 가위, 클레이(또는 퓨티나 고무찰흙)

눈, 손 협응, 도구사용 능력 증진, 촉각 처리 능력 향상에 도움이 되는 활동입니다. 가위로 자르기를 배울 때 클레이 또는 퓨티를 자르게 하면 아동은 조금 더 가위사용에 관심을 두고 흥미를 갖습니다. 처음부터 종이를 사용하는 것보다 더 효과가 좋답니다. 자른 클레이를 동그랗게 말아보거나 길게 밀어보는 활동으로 연결하면 더 재미있겠지요.

{단계화시키기} 넓게 편 클레이에 사인펜으로 그림을 그려주고 모양 따라 자르기

6 공 넣은 매트 위에서 균형 잡기

아이가 있는 가정이라면 매트 한 개씩은 있을 텐데요. 매트 아래에 공을 넣고 그 위에 서서 균형을 잡는 활동입니다. 공은 너무 작거나 너무 크면 곤란하겠지요? 작은 공은 2개를 넣어서 서 있기를 해도 좋습니다. 서 있기만 하면 심심하겠지요? 공주고 받기를 하거나 끝말잇기 등 아동의 수준에 맞춰서 활동을 접목해도 재미있답니다.

{단계화시키기} 서 있는 자세로 노래 부르기, 더 큰 공을 넣어서 올라가기, 균형 잡으며 공주고 받기

7 큰 공을 이용한 활동

큰 공 위에 엎드려서 목, 양팔, 양다리를 들어 올리는 활동입니다.
"우리 비행기 타고 어디 갈까?" 아동에게 흥미를 부여하고 엎드리는 자세를 시범을 보입니다. 이 자세는 '복와위 신전 자세' 라고 하는데요, 신전근을 강화시켜서 바른 자세를 만들어 줍니다. 이 자세를 오랫동안 유지하기는 매우 어렵답니다. 하지만 '비행기 타고 놀러 가자.' '비행기 날개를 쭉 펴보자.' 등 이야기를 만들어 주면서 활동할 수 있도록 해주면 참여도가 매우 높답니다.

큰 공 위에 앉아서 바운싱 하기
공 위에 앉아서 위아래로 바운싱을 하면서 직립 반응을 유도할 수 있고 전정 자극을 충분히 주며 각성 조절에도 도움이 된답니다.

공 위에 엎드린 자세에서 상체로 바닥 지지하기
강한 고유감각 입력과 목 근육의 동시 수축과 상지의 강화와 안정성을 제공하는 좋은 활동이지요. 아동이 상체를 잘 지지한다면 앞에 카드나 고리 등을 놓아두고 한 손으로 잡아보도록 하면서 단계화 한다면 더 재미있는 활동이 된답니다.

8 손수레걷기

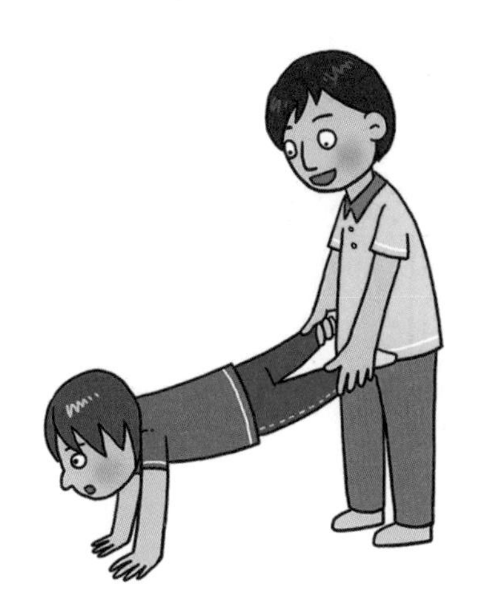

수레 걷기는 많이 들어보셨을 텐데요. 많은 영역에서 도움이 되는 참 좋은 활동입니다. 목 근육의 동시 수축을 유도하며 시 지각 발달, 자세 발달에 도움이 되고요. 복부 근육의 동시 수축으로 신체의 중심을 잡아주는 코어(core) 부분의 발달을 돕기도 합니다. 또한, 각성이 높은 아동들에게는 무거운 활동(Heavy work)으로 이용되어 각성 조절을 해 주는 역할도 합니다.

9 이불그네

많은 양의 전정 자극이 필요한 아동들이 있지요. 이 아동들은 빙글빙글 돌기, 높은 곳 올라가기 등의 전정 자극을 추구하는 행동을 다양한 형태로 보이는데요. 가정에서 전정 자극을 제공해 줄 수 있는 좋은 방법이 이불로 그네를 만들어 태워주는 건데요. 엄마와 아빠가 양쪽에서 이불을 잡고 좌우로 흔들어 주며 자극을 제공해 줍니다. 또한, 흔들림에 적응할 수 있고, 균형감각에 좋습니다. 그네 타는 것을 무서워할 경우에는 낮은 높이로 이불그네를 태워줍니다. 흔들림의 강도를 조절해주시고 다양한 방향으로 그네를 태워주세요.

10 이불 위로 점프하기

이불을 두껍게 하여 바닥에 깔아주고 높은 곳에서 이불 위로 점프하게 합니다. 이 활동은 다리 힘을 기를 수 있고 균형감각을 기를 수 있으며 고유수용성 감각을 제공할 수 있습니다. 점프하는 것을 무서워할 경우에는 엄마의 손을 잡고 점프할 수 있도록 합니다. 활동을 어렵게 하기 위해서 폭신폭신한 이불을 사용할 수 있습니다.

11 이불 터널 통과하기

아동이 이불 터널을 통과하며 대근육 운동을 할 수 있고 고유수용성 감각을 제공할 수 있습니다.

12 보자기로 공 받기

보자기에 공을 올려놓고 양 쪽에서 위, 아래로 흔들며 공을 던집니다. 보자기로 공을 받으며 공을 바닥에 떨어지지 않게 합니다. 양손을 함께 사용하며 양측 협응 능력의 발달을 촉진할 수 있고 눈과 손의 협응 운동을 할 수 있습니다. 큰 보자기를 사용하면 여러 명과 함께 놀이할 수 있습니다. 목표 횟수를 정하여 목표 숫자만큼 공을 보자기로 받으며 놀이하면 효과적입니다. 앉은 자세에서 일어선 자세로 변화하여 활동 방법을 변경할 수도 있습니다.

13 그림 따라그리기

준비물: 아동이 좋아하는 그림, 기름종이, 연필, 딱풀

시 지각 발달을 위해 아동이 좋아하는 그림을 활용해 보면 어떨까요? 수직선, 수평선, 동그라미, 네모, 세모 등 시 지각 발달에 맞추어 그림을 그려보는 것도 좋지만 좋아하는 그림을 이용하면 참여도와 흥미도가 매우 높답니다. 그림 위에 기름종이를 붙이고 따라 그려보아요. 다 그린 그림 위에 색연필을 이용해서 좋아하는 색깔로 색칠까지 한다면 그만한 작품이 없답니다.

14 신문지 길

아동과 함께 신문지를 얇고 길게 구겨서 길을 만듭니다. 그 길을 따라서 걷도록 합니다. 이 활동은 신문지 길을 만들면서 손의 힘을 기를 수 있고 조작하는 능력을 기를 수 있으며 촉각 자극을 제공할 수 있습니다. 또한, 운동을 계획하고 균형감각을 기를 수 있습니다. 신문지로 다양한 길을 만들 수 있습니다.

15 신문지 뿌리기

신문지 윗부분을 살짝 찢어 아동이 쉽게 찢을 수 있도록 합니다. 함께 신문지를 찢습니다. 다음 번에는 도움 없이 신문지를 찢을 수 있도록 합니다. 다 찢은 신문지를 위에서 뿌리거나 던지며 놀아봅니다. 이 활동은 양손을 함께 사용할 수 있고 눈과 손의 협응 운동을 할 수 있습니다. 손의 힘을 기를 수 있고 운동 순서를 계획할 수 있습니다.

16 찰흙 팔찌 만들기

찰흙을 밀어 길게 만들어 엄마가 먼저 손목에 찰흙을 감아 봅니다. 아동이 거부하지 않으면 아동의 팔에 찰흙을 감아줍니다. 동요를 부르는 동안 팔찌를 그대로 차고 있도록 합니다. 다음에는 발목에도 찰흙을 감을 수 있습니다. 이 활동으로 자신의 신체를 인식할 수 있고 고유수용성 감각을 제공할 수 있습니다. 거부할 경우 찰흙으로 얇고 가볍게 팔찌를 만들어 천천히 무거운 감각에 적응할 수 있도록 합니다.

17 찰흙놀이

찰흙 놀이는 눈과 손의 협응 운동과 손의 힘을 기를 수 있는 놀이입니다. 손의 힘이 약할 경우 어깨를 사용하여 힘을 주지 않도록 주의해야 합니다. 힘이 약하면 엄마와 함께 모양 틀을 누를 수 있도록 합니다.

감각통합놀이

18 비즈 끼우기

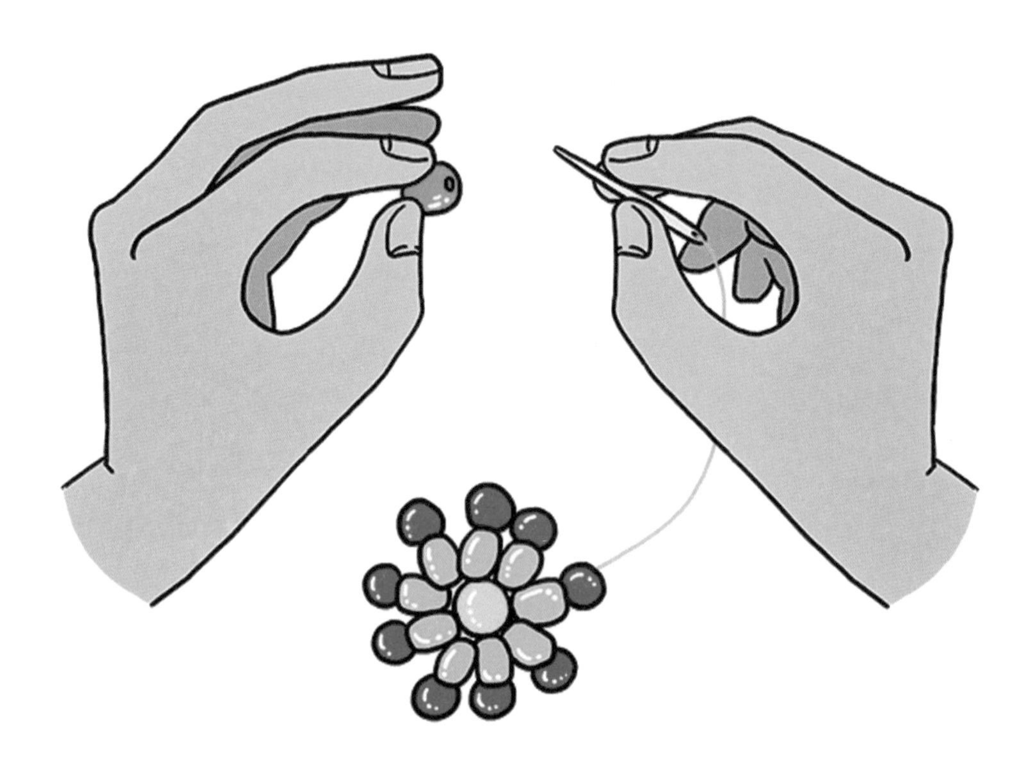

준비물 : 비즈공예 세트

눈/손 협응, 기민성, 소근육 강화, 색 구별, 작품 완성을 통해 성취감 향상 등의 효과가 있는 비즈 끼우기입니다. 간단한 그림으로 시작하여 복잡한 모양의 그림으로 단계화하며 흔히 쓰지 않는 갈색, 하늘색 등의 더 많은 색깔을 사용하여 색이름을 인식시킬 수 있답니다. 아이와 예쁜 비즈를 완성해 보세요.

19 고래밥 집게로 분류하기

준비물: 바다 동물이 들어 있는 과자, 집게, 작은 그릇 4~5개 정도, 넓은 접시

시 지각 영역에서 시각적 구별 능력은 매우 중요한데요. 치료 도구나 퍼즐에 관심이 없는 아동이라면, 먹을 것을 이용해서 접근해 보면 어떨까요?? 시각적 구별 능력과 함께 인지적으로 분류화의 개념도 인식시킬 수 있는 활동이랍니다. 바다에 사는 동물의 이름을 이야기하면서 매칭하면 더 재미있답니다. 이름을 맞힐 때 한 개씩 먹을 수 있도록 규칙을 정해주거나 동물의 개수를 세어 보며 수 개념도 접목할 수 있겠네요. 눈과 손의 협응, 시각 분별, 분류화 개념, 소근육 강화 등의 효과가 있답니다.

PART.07 미술심리치료

01. 분리불안이 있는 아동
02. 매우 소심하고 내성적인 아동
03. 지나치게 산만한 아동
04. 밖에서는 모범생이나 엄마나 가족에게 난폭해지는아동
05. 충동적이고 공격적인 아동
06. 선택적 함묵증이 있는 아동
07. 야뇨증이 있는 아동
08. 신학기 증후군을 경험하는 아동, 청소년
09. 분리불안이 있는 아동
10. 매우 소심하고 내성적인 아동

PART.07

미술심리치료 놀이

1 분리불안이 있는 아동

놀이활동 : 엄마와 까꿍놀이, 숨바꼭질
예술활동 : 양초와 물감을 이용한 활동
기대효과 : 안도감과 신뢰감 형성

유아는 어머니 모태에서 태어나 마치 어머니와 자신이 하나인 것처럼 전능감을 느낍니다. 그러나 점차 어머니와 자신이 하나가 아니라는 사실을 인식하는 단계가 옵니다. 그때 어머니의 얼굴을 만져보고 어머니의 입에 먹을 것을 넣기도 하는 등의 확인하는 과정과 어머니로부터 자연스럽게 분리되어 기어서 엄마 곁을 떠났다가 다시 돌아와 엄마를 확인하는 과정과 걷기 시작하며 어머니와의 분리가 점차 자연스럽게 진행되어야 합니다.

이러한 발달과정에서 자연적인 발달 단계를 거치지 못했을 때, 또는 어느 부분 신속하게 이루어졌거나, 순간적으로 엄마를 잃어버린 경험(혼자 엘리베이터에 갇히는 경험, 마트에서 엄마를 잃어버린 경험)을 했거나 다양한 원인으로 인하여 엄마와의 정상적인 분리가 어려워지고 이런 경우 낯가림도 심하게 하게 되고 어머니와의 분리를 혼자 남겨지는 고통으로 느끼며 타인에 대한 나아가서 사회에 대한 불신을 갖게 됩니다.

이렇게 한번 생긴 불신은 쉽게 없어지지 않으니 어머니는 아이에게 안정적인 환경에서 일관성 있게 애정표현을 하며 신뢰를 쌓아가야 합니다. 지킬 수 없는 약속을 당시의 위기를 모면하기 위해서 쉽게 하고 지키지 않는다면 아이는 부모로 인해 생긴 불신감이 결국 타인과 사회에 대한 불신감으로 자리 잡게 될 것입니다. 그러기에 특히 아이들과의 약속은 너무 쉽게 하지 마시고, 만약 약속하셨다면 사소한 것이라도 꼭 지켜야 합니다.

2 매우 소심하고 내성적인 아동

놀이활동 : 신문지 찢기, 풍선 놀이, 점토, 찰흙 놀이
기대효과 : 감정표출, 심리적 긴장감 해소, 자기표현

너무나 소극적이고 내성적인 성격의 아동들은 가족들 이외의 사람들 앞에서는 말도 못 하고 고개를 숙이고 있는 등 매우 소극적인 모습을 보입니다. 이런 아동들은 자신의 감정이나 의사 표현은 잘 하지 않기 때문에 자칫 친구들에게 놀림을 당하거나 만만한 대상이 되기도 합니다. 그러나 의사 표현을 하지 않을 뿐이지 느낌이 없거나 불쾌감이 없는 것은 아닙니다. 외향적이고 적극적인 기질을 가진 아동들은 상황에 따라 활발하게 자신의 감정이나 의사 표현을 하므로, 스트레스를 많이 받지는 않습니다.

그러나 자신의 감정이나 의사 표현을 잘하지 못하는 소심하고 내성적인 아동들은 그만큼 쌓이는 스트레스가 많아서 집에 돌아오면 편안하고 만만한 가족, 특히 엄마에게 많은 짜증을 부리기도 하고 심하면 공격적인 모습을 보일 수도 있습니다. 이렇게 내성적인 성격은 후천적으로 형성될 수도 있으나, 부모님으로부터 타고난 기질적인 성향이 강하게 나타나기도 합니다. 기질적으로 내성적 성향이 강한 아동에게 무조건 적극적으로 활발하게 표현하라고 강요한다면, 그것은 고문이나 다름이 없을 것입니다. 이런 성향을 가진 아동들은 친구나 새로운 사람들을 사귈 때 많은 시간이 필요합니다.

새로운 사람과 만남이나 새로운 환경에 잘 적응하기 위해서는 편안하게 신뢰가 쌓일 수 있도록 일정한 시간과 거리를 유지하다 보면 자연스럽게 자신을 표현할 수 있을 것입니다. 그러나 너무 조급하게 아이가 변화되기를 바란다면 어머님이나 아이 모두 힘든 상황이 연속될 수도 있습니다. 내성적이고 소극적인 내 아이의 성향을 있는 그대로 받아들이며, 새로운 환경에 잘 적응할 수 있도록 부모님이 새로운 친구들이나 새로운 경험을 할 수 있는 기회를 자연스럽게 마련해 주는 것도 도움이 될 수 있습니다.

3 지나치게 산만한 아동

놀이활동 : 블록 쌓기, 낚시 놀이, 퍼즐 맞추기, 도미노, 따라그리기
기대효과 : 집중력과 인내력 향상

아이가 산만한 행동을 보이거나 집중이 어려운 경우, 여러 가지 원인(유전적, 신경학적, 환경적)이 있을 수 있지만, 심리적 불안이나 분노를 처리하기 위함이나 부모님의 관심을 끌기 위해 하는 행동 패턴일 수도 있습니다. 부모가 아이의 마음을 이해하려는 관점에서 바라보고, 다정하고 따뜻하게 대한다면 아이의 불안과 불만이 해소되어 산만한 행동이 차츰 좋아지며 짧은 기간 안에 차분하게 행동을 하기도 합니다.

산만한 아동은 집중력이 떨어져 학습문제와 산만함 때문에 유치원이나 학교에서 친구들로부터 놀림을 당하거나, 선생님에게 지적을 받을 수 있으므로 자존감이 낮아지기 쉽습니다. 이런 아동의 자존감을 높여주기 위해서는 잘못된 행동을 지적하고, 야단치기보다는 잘한 행동에 대해서 아낌없이 칭찬해 주어야 합니다. 아동이 잘한 행동에 대해서는 칭찬과 보상을 아끼지 말아야 합니다. 보상은 물질적인 것만을 생각하지 말고, 신체적인 애정표현이나 좋아하는 음식 만들어 주기, 같이 여행가기 등의 정서적인 보상과 물질적인 보상을 적절하게 하는 것이 좋습니다.

사소한 외부환경이나 자극에 의해서도 쉽게 주의가 산만해지므로 주변 환경을 차분하고 단순하게 만들어주는 것이 도움이 됩니다. 집안 분위기를 깔끔한 분위기로 만들고 아동의 방은 공부하는 공간과 노는 공간을 분리하는 것이 더욱 효과적입니다. 남의 말을 귀담아듣지 않고, 남의 대화를 방해하기 때문에 원만한 또래 관계를 맺지 못할 수도 있습니다. 따라서 다른 친구의 말을 잘 듣기, 다른 친구들의 감정을 이해하기 등, 대화의 기술을 가르쳐야 합니다.

놀이치료나 심리치료를 통해서 심리적 안정감을 가진 후 집단 치료를 통해서 집단 안에서 규칙 지키기, 자신의 감정 표현하기, 타인에 대한 배려나 감정 이해하기, 등의 사회성이 향상될 수 있는 기회를 마련해 주는 것이 중요합니다.

4 밖에서는 모범생이나 엄마나 가족에게 난폭해지는아동

\# 놀이활동 : 점토, 찰흙, 모래 놀이
\# 기대효과 : 억압된 감정 해소, 자기표현

유치원이나 학교 등 공공장소에서는 타인에게 모범이 되는 생활을 하며, 매우 순종적인 아동이 집에서 가족에게, 특히 엄마에게는 매우 난폭한 행동을 하며 자신이 모든 것을 조종하고 자신이 원하는 것만을 하려고 하는 아동의 모습을 우리는 주변에서 종종 볼 수 있습니다. 이러한 아동들의 대부분은 인정욕구가 강한 아동이라고 볼 수 있습니다.
우리 인간에게는 누구나 타인에게 인정을 받고 싶어 하는 욕구가 기본적으로 있습니다. 그러한 기본적인 욕구가 가정에서 채워지지 않는다면, 그 욕구를 타인에게 충족시키려고 노력하는 한 방법으로 집 밖에서는 더욱 모범적인 태도를 보이고 주변 어른들이나 선생님으로부터 관심과 칭찬을 받으며 자신이 원하는 인정욕구를 채워갈 것입니다. 그러나 그것에도 한계가 있고, 자연스럽게 진심으로 하는 행동이 아니기에 자신에게도 스트레스가 쌓이고 그 스트레스를 가장 만만한 가족(특히 엄마)에게 해소할 수 있습니다.
아동이 그런 행동을 보인다면 부모님이나 가족들이 너무 엄격한 교육의 잣대로 아이를 바라보며 아이에게 요구하고 있는 것은 아닌지, 가족 문화나 양육 태도를 한 번쯤 점검해 볼 필요가 있습니다. 아이는 아이다워야 하고 그 연령에 맞게 받아야 할 부모님의 사랑과 보살핌을 받으며 성장하여야 합니다.
부모님의 높은 기대치 보다 아이의 기질이나 성품을 있는 그대로 수용하며, 좀 더 먼 앞날을 바라보며 아이를 바른길로 교육하는 것이 올바른 부모님의 태도일 것입니다.

5 충동적이고 공격적인 아동

\# 놀이활동 : 점토, 모래놀이, 샌드백 때리기, 과녁 맞히기
\# 예술활동 : 물감난화, 점토, 신문지 찢기, 꼴라쥬, 연필스크레치화
\# 기대효과 : 억압된 감정과 공격성 표출, 심리적 안정감 유지

공격적 행동이란, 자신이 무엇인가 원하는 것을 요구하거나 이루려고 할 때, 자신의 요구를 들어주지 않을 경우 타인이나 자신에게 상처가 되거나 해가 되는 행동으로 때리고 물고, 밀고, 성질을 부리며 욕설을 하면서 물건을 부수거나 던지는 등의 행동을 말합니다.
아이들의 성장 과정 중 12~15개월 정도의 시기에는 아동의 언어표현이 자유롭지 못하고 말보다는 행동이 먼저 되는 시기라서 자기 뜻을 주장하거나 자신의 힘을 과시하는 한 방법으로 공격적인 행동을 하기도 합니다. 이때 부모님의 적절한 훈육이 되어야 합니다. 공격적인 행동에 적절한 훈육을 하지 못할 경우 습관적으로 공격적인 행동을 지속할 수 있습니다.
아이가 충동적이거나 공격적인 행동을 보이는 원인은 ①부모님으로부터의 관심과 사랑의 결핍 (평소에 무관심하던 부모가 아이가 공격적인 행동을 했을 때, 부모님이 관심을 두고 반응을 했을 경우, 아동은 자신의 행동에 만족해하며, 공격적인 행동을 유지하는 계기가 되기도 합니다.) ②일관성 없는 부모님의 양육태도(지나치게 권위적이거나 지나치게 허용적이어서 아이가 더욱 공격적인 행동을 더 자주 하게 됩니다.) ③가정불화, 가정폭력 (부모님이나 주변 어른들의 공격적인 행동을 모방하게 됩니다.) ④TV, 영화, 비디오, 컴퓨터 등의 매체를 통해서 폭력적인 프로그램을 자주 접하게 되면서 충동적이고 공격적인 행동을 하게 됩니다. ⑤신체적 학대, 성 학대를 당한 경우. 그 밖에도 가정환경의 문제, 빈곤, 강한 스트레스, 가족력이나 기질적인 문제 등 여러 가지 요인이 작용할 수 있습니다.
만약 내 아이가 충동적이고 공격적인 행동을 보인다면 공격적인 행동에 대한 원인을 살펴보는 것이 중요합니다. 공격적인 행동에 대한 심리적인 원인을 먼저 살펴보고, 아이의 생활 중에 불만이나 또래관계에 어려움을 겪고 있지는 않은지 먼저 찾아보고, 또한 부모님의 양육태도에 문제는 없는지 점검해 볼 필요가 있습니다.

6 선택적 함묵증이 있는 아동

놀이활동 : 보드게임, 퍼즐 맞추기
예술활동 : 난화, 점토 활동
기대효과 : 신뢰감 형성, 심리적 이완, 자기표현

'선택적 함묵증'이란, 집이나 편안한 환경에서는 말을 하거나 의사소통에 문제가 없으나, 특정한 상황(학교, 집, 공공장소 등)에서는 말을 하지 않는 것을 말합니다. 정신 분석학적인 측면에서는 구강기에 지나친 억압의 결과로 지나친 의존성이나 버림받지 않을까 하는 불안 심리가 작용한다고 봅니다.

이런 증상을 나타내는 아동들의 특징은 특정한 상황에 대한 두려움이나 지나친 수줍음(가족력), 분노, 가정환경(부모의 불화, 지나친 의존성 등)이나 부모, 사회에 대한 불신 등 여러 가지 원인이 작용할 수 있습니다.

선택적 함묵증이 있는 아동들은 대부분 사회나 타인에 대한 불신이 있으므로 치료 상황에서 치료사와 신뢰감을 형성하는 데에도 많은 시간이 걸릴 수 있습니다. 또한, 이런 증상으로 인하여 이차적으로 놀림이나 따돌림을 당할 수 있으므로 신속하게 놀이치료나 심리치료를 하면서 증상을 완화시켜 자기 표현과 사회성이 향상될 수 있도록 하는 것이 아동에게 도움이 될 것입니다.

7 야뇨증이 있는 아동

\# 놀이활동 : 난화, 점토 활동
\# 기대효과 : 심리적 이완, 자신의 이슈 표현

야뇨증이란 소변을 가릴 만한 나이(5세 이상)가 되었어도 밤에 소변을 가리지 못하는 경우를 말하는 것으로 일반적으로는 나이가 들면서 좋아질 수도 있으나, 사춘기가 되어서도 증상이 남아 있는 경우가 있습니다. 물론 심할 경우에는 병원에서 의사의 진단 아래 약물을 복용하며 치료하여야 하지만, 야뇨증은 심리적인 부분도 많은 부분 차지하기에 그 원인은 심리적인 것에서 찾을 수도 있습니다.
매우 소극적이고 자신감이 없는 아동이지만 부모님의 기대치가 높다거나 아이의 성향을 충분히 고려하지 않고 부모님의 눈높이나 기대에 맞게 교육하려는 생활방식에서 올 수도 있습니다. 실제로 좋은 집안에 정상적인 발달을 하며 생활하는 초등학교 고학년 학생이 야뇨증으로 많은 병원과 한 의원을 전전하며 치료를 남들 모르게 받으며 생활하다가 개인 미술 심리 치료를 받고 난 후 증상이 사라지는 경험이 있는 사례를 보면 심리적인 영향이 크게 작용한다고 볼 수 있습니다. 당시 치료사에게는 보고하지 않아 치료사는 아동에게 야뇨증이 있음을 알지 못하고 단기간의 심리치료 종료 후 어머니의 보고로 야뇨증이 사라졌음을 알게 되었습니다.
자녀들은 끊임없이 부모님의 관심과 사랑을 요구하고 또 필요로 합니다. 유, 아동기에 사랑과 관심을 받으며 성장한 아동들이 사춘기에도 많은 방황을 하지 않고 건강한 사춘기를 통해 인성이 올바른 사회인이 될 수 있습니다.

8 신학기 증후군을 경험하는 아동, 청소년

놀이활동 : 선생님 놀이, 모래 놀이
예술활동 : 물감 난화, 점토 놀이, 신문지 놀이, 꼴라쥬 "내가 좋아하는 사람"
기대효과 : 내면의 소망 표현

신학기가 되면 아동은 물론 부모님들도 긴장하게 됩니다. '어떤 친구, 어떤 담임선생님을 만날까' 하는 설렘과 약간의 긴장감도 느끼게 됨은 어찌 보면 당연한 일일 수 있습니다.
특별히 지난해 친구 관계에서 불편함을 겪었던 친구, 담임선생님과의 관계에서 성향이 맞지 않아 불편함을 겪고 그로 인한 고통이 있었던 아동과 청소년들, 부모님 역시 같은 긴장감을 가지게 될 것입니다. 또는 그와는 반대로 너무나 좋은 친구, 선생님과의 유대 관계를 가졌던 아동, 청소년들 역시 마찬가지로 그러한 친구, 선생님과 헤어지고 새로운 친구, 선생님을 만나게 될 것에 대한 긴장감은 당연한 일일 것입니다.
다행히 좋은 선생님과 친구들을 만나게 되고 지난해에 이어 같은 성향의 교육철학을 가진 선생님을 만날 경우 별다른 어려움 없이 적응할 수 있겠지만, 전혀 다른 교육철학이나 성향을 가진 선생님을 만나게 될 경우 아동은 혼란스러울 수밖에 없습니다.
예를 들어, 주어진 과제나 숙제를 마친 아동이 학과와 상관없는 다른 책을 읽는 것이 허용되었던 친구는 그것이 습관화되어 주어진 과제를 신속히 처리하고 자신이 읽던 책을 읽는 것은 당연한 일이 되었을 텐데 새 학년이 되고 그러한 조건에서 책을 읽을 경우 그것이 다른 짓이나 집중하지 못하고 산만한 아동으로 낙인이 찍히고 그때부터 주의할 인물이 되어 주의를 듣거나 벌을 받게 되는 경우 아동은 무척 혼란스러워질 수 있습니다.
이럴 경우 부모님께서는 학기 초에 학부모 회의나 부모 모임에 참석하셔서 이번 선생님의 교육철학이나 어떤 교육에 특히 중점을 두시고 교육하시는가를 빨리 파악하셔서 아동, 청소년들이 그에 잘 적응할 수 있도록 집에서도 그에 따른 연습을 할 수 있게 돕는다면 아동, 청소년들이 새로운 선생님이나 반 친구들과 적응하는 데 도움이 될 수 있을 것입니다.

9 분리불안이 있는 아동

놀이활동 : 블록쌓기, 레고, 퍼즐 맞추기
예술활동 : 물감 난화, 점토 놀이, 공예 활동, 꼴라쥬 "내가 좋아하는 사람"
기대효과 : 심리적 안정감, 집중력 향상

틱(Tic)은 스스로 조절할 수 없는 크고 빠른 근육의 움직임이나 소리를 내는 것을 말합니다. 아동에 따라서 여러 가지 증상이 나타날 수 있지만, 틱에는 크게 두 가지 종류가 있습니다. 운동 틱과 음성 적입니다. 틱의 증상은 미처 모르고 지나가는 약한 증상에서부터 아주 심한 증상까지 매우 다양합니다.

상당 부분의 틱은 기능에 영향을 주지 않으므로 적극적인 치료를 받을 필요가 없다고 생각할 수 있으나, 증상이 심하여 당사자에게 스트레스를 주고, 부모님이나 주변 어른들께 잦은 눈총과 지적을 받고 친구들에게 놀림을 당할 정도가 되면 소아정신과를 방문해서 의사의 진료를 받은 후 약물치료를 받아야 하기도 합니다.

그러나 틱은 보통 정서적으로 불안한 상황이거나 극도의 스트레스 상황, 또는 컴퓨터 게임 같은 흥분된 상황에서 증상이 악화되기도 하고, 심리적 영향을 많이 받는 증상이기도 합니다. 약간의 틱 증상을 보이기 시작한다면 스트레스의 원인이 무엇인지 먼저 파악한 후 원인을 없애 주는 것이 중요하고, 안정적인 심리상태를 유지할 수 있도록 주변에서 도와주어야 합니다.

아동의 성향에 따라서 심리치료(미술, 놀이, 음악, 독서, 원예 등)를 한다면 증상을 완화하는데 도움을 줄 수 있을 것입니다.

10 매우 소심하고 내성적인 아동

\# 놀이활동 : 시장놀이, 소꿉놀이
\# 예술활동 : 잡지 꼴라쥬 "내가 갖고 싶은 것", "내가 살고 싶은 집"
\# 기대효과 : 구체적인 욕구표현

가정이 어렵지도 않고 부족한 것이 없음에도 불구하고 문구점이나 편의점에서 물건을 훔치는 아동들이 종종 있습니다. 심리학에서는 이런 현상을 물건을 훔치는 것이 아니고 '애정을 훔친다'는 표현을 하기도 합니다. 그만큼 사람들은 누구나 심리적으로 부족함을 느끼는 것을 무언가로 채우려고 하는 본능이 있습니다. 가정에서 자신의 기본적인 욕구가 채워지지 않거나 부족하다고 느낄 때 아동들은 사랑과 관심을 받고 싶어 합니다. 이런 심리적 부족함을 긍정적으로 채워가기에는 아직 자신이 성립되지 않고 조절 능력도 부족한 성장기에 있기에 아동들의 기본적인 욕구인 따뜻한 사랑과 관심, 일관성 있는 교육자세로 부모님의 보살핌은 지속되어여야 합니다.

우리 자녀들을 각기 특성에 맞게 잘 양육하고 또 그렇게 성장한 아이들이 자신의 적성에 맞는 일을 찾아서 행복한 삶을 영위한다면 부모로서는 최고의 행복이 아닐까 합니다.
그러나 내 아이를 인성 좋은 아이로 양육한다는 것은 부모님의 각고의 노력과 인내가 필요합니다. 아동들이 보이는 특이한 증상 대부분이 아이들을 양육할 때 부모님의 권위적인 태도, 지나친 기대감, 또는 아이의 성향을 무시한 교육철학이 자칫 아이들을 고통스럽게 할 수도 있으니 아이의 기질이나 눈높이에 맞춰 멀리 바라보는 교육을 한다면 부모와의 원만한 관계를 유지하면서 아이가 정서적 안정과 인성이 좋은 아이로 성장하는 데 도움이 될 것입니다.

PART.09

장난감 및 교구 소개

잘 쓰는 장난감! 열 치료사 안 부럽다?! (부러워야 되는데...;;)

여러모로 잘 쓰이는 장난감/보드게임/책을 소개해드리려 합니다. 소개해 드리는 장난감들은 여러 회사에서 지원받아 사용해보고 소개해드리고 싶었으나 지원해 주는 곳도 없고 지원받아봐야 광고밖에 안 될 것 같아 모두 제 사비로 구입하고 사용해 본 쓸만한 장난감들이니 광고성 0%인 순수 소개입니다.
수입해야 하는 것들 빼고 국내에서 쉽게 구할 수 있는 장난감들만 소개해드렸습니다.
더 많은 교구는 뚱이쌤 블로그(http://blog.naver.com/slpddoong)를 참고하세요.
오른쪽의 QR코드를 스캔하시면 더 편하게 보실 수 있습니다.

 # 스매치
메모리 게임인데 돌리는 기구 하나로 흥미가 완전히 달라진 교구입니다. 돌림판의 손잡이를 누르면 돌림판이 돌아가는데 수, 색, 모양에 멈추게 됩니다. 어디에 멈췄는지 확인하고 카드를 두 장씩 뒤집어 같은 모양, 같은 색, 같은 수를 찾는 게임입니다. 집중력, '같다/다르다' 개념, 색이나 모양 알기 등이 가능한 교구입니다.

 # 벽돌쌓기
따로 상자를 보여드리지 않는 이유는 이런 게임은 종류가 많아서입니다. 벽돌쌓기로 검색하시거나 마트에 가시면 얼마든지 비슷한 교구를 마련하실 수 있습니다.
벽돌을 쌓으면서 집중력을 꾀하고 벽돌을 무너뜨리면서 상황 판단력을 높일 수 있습니다.

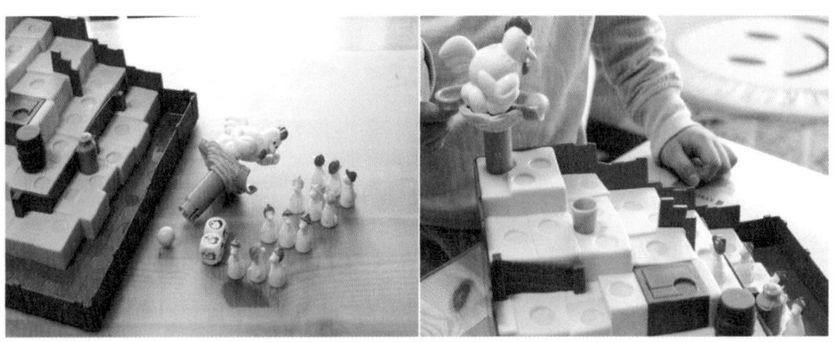

 # 키키리키

주로 연구개음/ㄱ, ㄲ, ㅋ/를 연습할 때 많이 쓰는 교구인데 모든 보드게임은 게임의 규칙을 익히면서 사회규범에 대해 배울 수 있는 장점이 있습니다.

병아리들을 아빠 닭 등 위에 제일 먼저 올리는 사람이 이기는 게임으로 주사위에 빨간 닭이 보이면 아빠 닭 뒤에 있는 알을 쏠 수 있습니다. 이때 '꼬끼오'를 유도하면서 자연스러운 연습이 가능합니다.

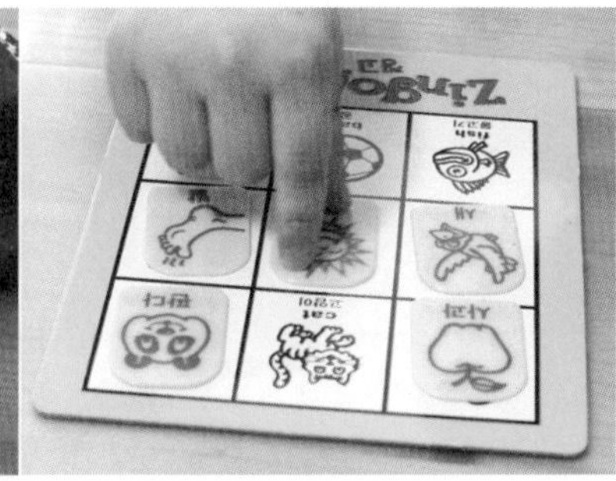

 # 징고

너무 유명한 교구라 달리 설명해 드릴 것이 없지만 단어로 하는 빙고 게임이라고 보시면 됩니다. 빨간 통이 있는데 이것을 앞으로 당겼다 뒤로 밀면 두 개의 칩이 나옵니다. 자신의 빙고 판에 있는 칩을 큰소리로 외치고 가져와서 채우면 되는 게임입니다. 집중력과 어휘 증진에 도움을 줄 수 있으며 다른 그림을 칩에 붙여서 발음을 치료할 때도 사용할 수 있습니다. 범주화 놀이에도 사용되며 게임을 다 하고 2~3개의 칩을 연결해놓고 문장 만들기를 할 수도 있습니다.

 # 편백나무 칩

모래 놀이 대신 사용하는 편백 나무집입니다. 50,000원 정도 사면 아이들 아기 때 쓰던 목욕 바구니 정도는 채울 수 있습니다. 소꿉놀이도 하고 공사장 놀이도 할 수 있습니다. 냄새도 좋고 느낌도 좋아서 감각통합 치료받는 아이들도 많이 사용합니다.

 # 애니멀팡팡
총은 동물 모양, 총알은 소프트폼으로 되어 있어 아이들의 흥미를 끄는 데는 그만인 장난감입니다. 주로 소통 놀이할 때 사용하는데 맞아도 안 아파서 손들어! 빵! 하면서 놉니다. 빵 소리에 대한 소리 모방도 유도할 수 있고요. 지루한 수업을 하다가 중간에 주의를 환기시키기 위한 놀이로도 적합한 교구입니다.

 # 달걀 가지고 달리기
숟가락 4개, 달걀 4개로 구성된 교구입니다.
거실에서 반환점 만들어놓고 숟가락 위에 달걀을 올린 후 반환점을 돌아오는 내내 떨어뜨리지 않으면 이기는 게임으로 사용하시면 집중력, 협응력 등을 꾀할 수 있는 교구입니다.
색도 예쁘고 달걀 안에 달걀 프라이도 들어있어서 소꿉놀이할 때도 많이 사용합니다.

 # 픽셔너리
사람 모양의 그림판에 그림을 그려서 누구를 그린 것인지 맞혀보는 게임입니다. 종이에 그리면 더 많은 어휘를 할 수 있습니다만 가끔 이렇게 독특한 교구를 이용해서 놀면 아이들의 흥미를 유지할 수 있습니다.

 # 멜리사앤더그 동물 사운드 블록 퍼즐

퍼즐을 제대로 된 모양으로 맞춰 상자에 꽂으면 동물의 울음소리가 나옵니다. 울음소리가 나오지 않으면 잘못 맞췄다는 겁니다. 굉장히 쉬운 장난감인데 아이들 좋아하고 동물 울음소리 모방하면서 표현 어휘 끌어낼 수도 있습니다.

 # 브랜드비의 팝아티

여자아이들이 특히 좋아합니다. 목걸이, 팔찌, 반지, 귀걸이 등 액세서리를 만들 수 있습니다. 많다/적다, 길다/짧다 등 개념 익히기에 좋고 소근육 힘을 기르기에도 좋습니다. 약간 뻑뻑하거든요. 색감도 좋아서 엄마들에게도 인기가 좋은 교구입니다.

 # 도블

어떤 카드를 뒤집어봐도 같은 모양이 한 개는 반드시 들어 있습니다. 정말 신기하다면 신기한 카드! 집중력 향상과 어휘력 증진에 도움이 됩니다.

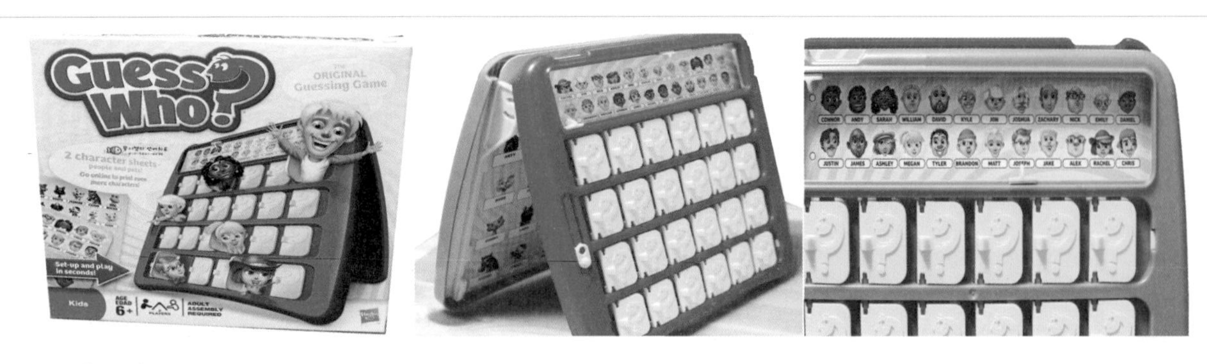

 # 게스 후

스무고개 생각하시면 쉬운 게임입니다. 상대가 고른 인물을 5가지 질문을 하면서 찾아내는 게임으로 비교하기, 설명하기, 질문하기 등을 통해 더욱 고급 문법을 훈련할 수 있습니다.

 # 구슬퍼즐

그림을 보고 구슬을 똑같이 둬야 하므로 구성력부터 노려볼 수 있는 교구입니다. 집중력도 당연히 따라옵니다. 책에 있는 예시대로 구슬을 맞추고 빈자리에 남은 구슬을 구성하면 되는 게임인데 난이도에 따라 구성이 되어 있습니다. 아이들에게도 좋지만, 무상무념이 필요한 엄마들에게도 좋은 교구입니다.

 # 개 조심

놀라서 우는 아이들도 있으니 조심스럽게 접근하셔야 합니다. 잠자는 강아지 몰래 뼈를 훔쳐오는 게임인데 뼈를 훔치면서 밥그릇을 건드리면 잠자던 강아지가 벌떡 일어나 마구 짖습니다. 색 인지, 집중력, 수 개념 등에 좋은 장난감입니다.

스피치
재미있는 그림카드가 여러 장 들어 있어서 아이들의 능력에 따라 카드를 선택해 이야기를 꾸며보는 과제에 적합한 교구입니다. 학령기 아이들과 성인 치료에 많이 씁니다.

필리나
같은 모양 찾기 게임입니다. 돌림판에 있는 모양과 같은 모양을 가진 나비를 찾으면 됩니다. 색과 모양이 살짝씩 다르게 구성되어 있어 집중력에 좋고 모양 설명하기에도 좋은 교구입니다.

퍼니버니
토끼들이 출발점을 출발해 당근까지 가는 먼저 가는 게임인데 당근을 돌리면 토끼가 빠지는 함정이 생겨서 스릴까지 갖춘 게임입니다. 어른들이야 어디에 토끼를 두면 안 되는지 알아서 빠지는 일이 거의 없지만 아이들은 거기까지는 깊게 생각 안 하니까요.

 # 뽀로로 친구들
뽀통령 죽었다고들 하지만 아직도 건재하더라고요. 요 친구들만 있으면 역할놀이도 가능하고 많은 놀이를 할 수 있습니다. 활용도가 높은 이런 장난감은 필수입니다.

 # 가족인형
가족 인형은 무조건 갖고 있어야 하는 필수 아이템!

 # 멜로디밴
단순한 밴 치고는 가격이 사악하지만, 쓸모가 참 많은 장난감입니다. '재미있게 알아요' 파트에서 알려드린 위치 부사어 놀이할 때도 이 밴을 이용하면 타고 내리기가 편합니다. 빠방은 자고로 다다익선입니다. 멜로디 밴을 구입하시면 가족인형이 포함되어 있습니다.

강아지 저금통
강아지 밥그릇에 동전을 놓으면 엉덩이를 치켜들고 동전을 먹는 것처럼 보이면서 동전이 구멍을 통해 저금통 안으로 들어갑니다. "먹어" "밥 먹어" "강아지 밥 줘" 식의 문장 확장을 해볼 수 있고 단순 표현 어휘 지체 아이들에게 아주 좋은 장난감입니다

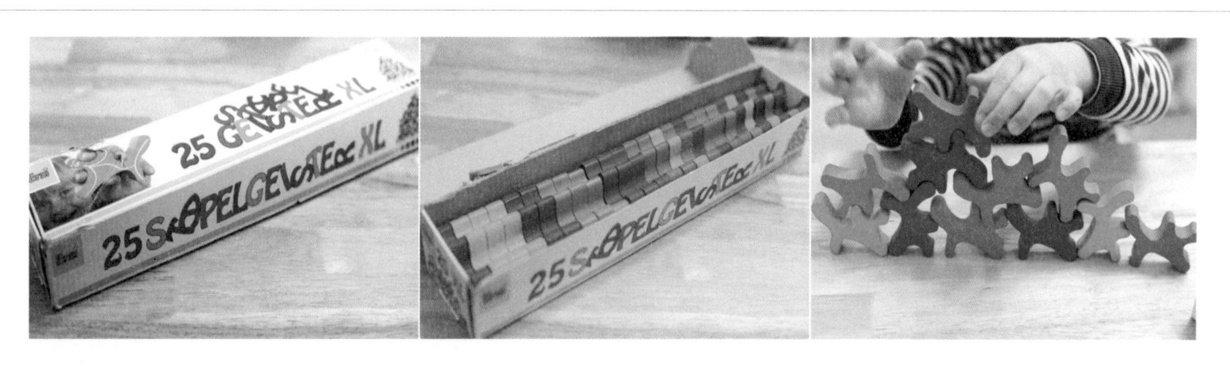

stapel gelster
쌓기 교구입니다. 이상한 모양이어서 단순한 블록보다는 아이들의 흥미를 조금 더 유도할 수 있고 네모 모양 블록을 쌓는 것보다 약간의 집중력을 더 필요로 합니다. 색이 예뻐서 여자아이들이 유령같이 재미있게 생겨서 남자아이들이 두루두루 좋아하는 교구입니다.

tell a story
10가지 에피소드들이 5장의 카드로 구성되어 있습니다. 뚱이 샘의 3단계 이야기 퍼즐과 비슷한 교구인데 5개의 이야기로 잘라놨습니다. 실패를 줄이기 위한 장치가 따로 없이 그냥 카드 구성이라 이상하게 구성해놓고 왜 이상한지도 이야기해 볼 수도 있습니다. 고급 문법기 아이들까지 고루고루 사용할 수 있는 교구입니다.

퀴클
모양, 색 맞추기 게임입니다. 게임 규칙대로 하면 우리 아이들 너무 어려워해서 같은 색만 모아보기, 같은 모양만 모아보기를 하면서 놉니다. 색종이 오려 코팅하기 귀찮은 엄마들에게 아주 좋은 교구인데 크기는 다 같아서 크기 개념까지는 챙길 수 없습니다.

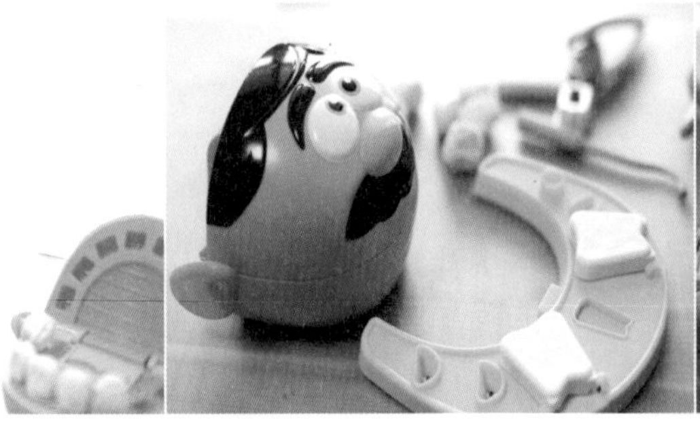
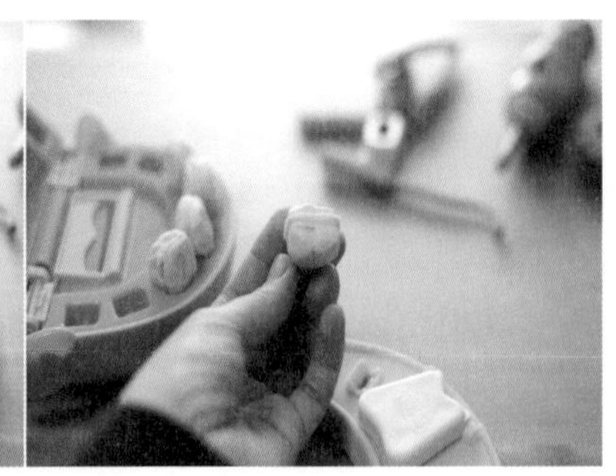

 # 플레이도우 치과놀이
역할놀이에 충실한 장난감인데 치과 놀이가 특히 재미있는 것은 이를 만들 수 있는 틀이 있다는 것입니다. 이를 직접 만들어 인형에 꽂아주고 치료도 해줍니다. 드릴처럼 생긴 장난감으로 이에 구멍도 낼 수 있어요. 플레이 도우가 대체로 다 구성도 좋고 흥미롭지만 치과 놀이는 특히 야단법석으로 놀 수 있는 장난감 중 하나입니다.

 # 피코벨로
빨래 놀이하는 게임입니다. 해가 떴는지 비가 오는지에 따라 빨래를 널어야 하고 걷어야 합니다. 또 주사위에 나온 색과 같은 색의 빨래를 널고 걷어야 합니다. 원인과 결과를 배울 수 있는 교구이며 색인지, 날씨인지 등에 적합하고 '빨래 널어' 등의 문장을 이용한 유음/ㄹ/을 연습시키기에 좋은 교구입니다.

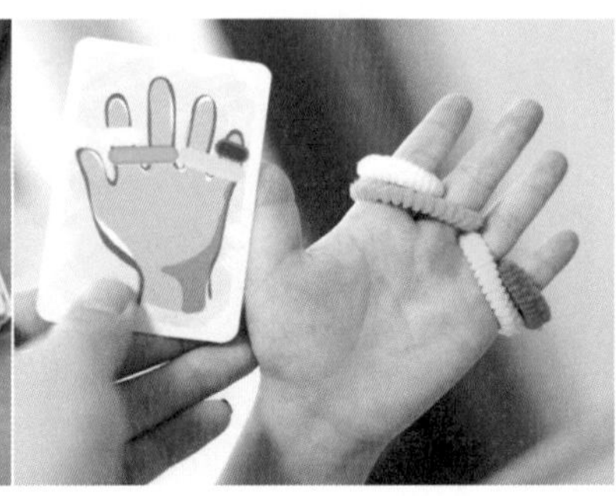

 # 할리갈리 링엘딩
할리갈리가 모두 재미있기는 하지만 링엘딩은 특히 계산 안 해도 되고 똑같이 구성만 하면 되는 게임이라 어린아이들까지 할 수 있습니다. 손가락에 밴드를 끼우며 소근육을 더 잘 사용하게 되고 색인지 와 동시에 구성력을 증진시킬 수 있습니다. 물론 빨리 찾아 빨리 끼워야 하니 집중력은 따로 말씀 안 드립니다.

 # 말랑말랑 촉감블록

촉감 블록 검색하시면 동물 모양도 있고 낚시도 있고 다양하게 나와 있더라고요. 예전에는 동물밖에 없었는데요.... 동물 블록은 '손잡아, 안아, 끼워, 빼' 등의 어휘를 확장하면서 놀 수 있는 교구입니다. 집집이 거의 있어서 이것도 국민 블록이라죠?

 # 토스트통

잘 고장 나는 게 흠이라면 흠이지만 토스터 안에 카드를 넣고 무작위 시간이 흐른 후 카드가 튀어 오르면 잡아내야 하는 스릴 만점의 장난감입니다. 카드가 튀어 오르길 기다리면서 집중도 하게 되고 접시에 음식을 채우면서 식당 놀이에 대한 어휘도 확장할 수 있어서 요즘 즐겨 갖고 노는 장난감입니다.

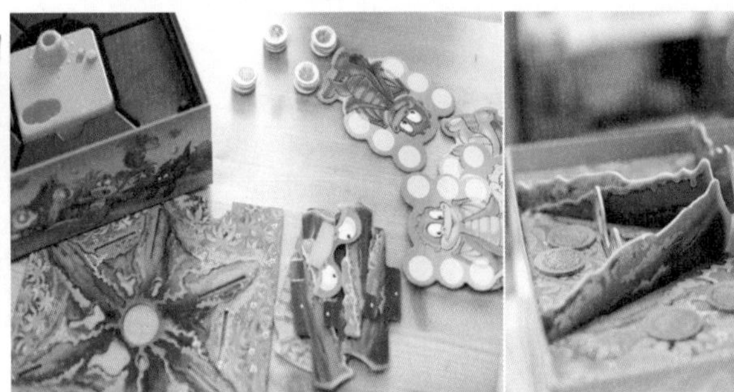

 # 아기공룡 드라기

메모리 게임인데 가운데 떠오른 공을 불기도 해야 해서 구강 기류를 이용하지 못하는 아이들에게 좋은 게임입니다. 공룡의 알을 모은다는 흥미로운 게임 요소도 있고 색인지, 집중력 등도 덤으로 따라옵니다.

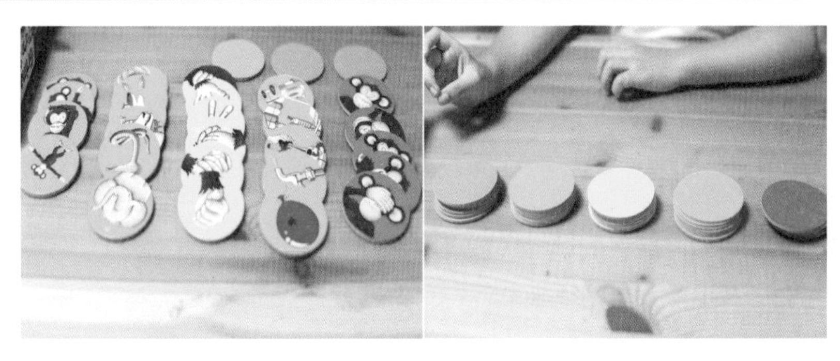

 # 그림아펜

집중하고 기억하고 모방하는 게임입니다. 소리 모방은 행동 모방이 원활하게 나올수록 유리합니다. 원숭이가 하는 행동들을 모방하면서 모방력을 증진시킬 수 있습니다.

 # 메르콜리노

동물 친구들이 소풍을 가서 단체 사진을 찍었는데 없어진 친구들도 있답니다. 그 친구들을 찾는 게임으로 집중력 향상, '있다/없다' 개념 등을 익힐 수 있는 재미있는 교구입니다. 동물 울음소리를 모방하며 단순하게 같은 동물 찾기 게임으로 난이도를 낮춰도 재미있는 교구입니다.

 # 루다니모

예쁘고 귀여운 동물 모형이 6개 들어있고 세모, 네모, 동그라미 통들이 크기별로 들어 있어서 크기, 높이, 모양에 대한 개념을 익힐 수 있습니다. 또 '누구네 집, 누구랑 누구, 숨었다, 찾았다' 등 어휘를 확장할 수 있고 의성어 모방부터 해야 하는 아가들한테도 모형이 딱 알맞은 교구입니다.

너프건
공기를 장전해서 스펀지 총알을 날리는 총이라 맞아도 그렇게 많이 아프지는 않습니다. 너프건의 활용도를 생각하면 착한 가격이기도 하고요. 베란다와 거실의 넓은 창을 이용하시면 되고 창 반대쪽에 그림카드를 붙여놓으시고 말하는 것 맞혀보기라든가 맞힌 것 이름 말해보기 등 활용하시면 됩니다. 색인지 할 때는 블록을 색별로 쌓아 꽂아두고 맞혀서 쓰러뜨리면 됩니다.

점핑토끼
당근을 심어놓고 돌림판을 돌려나온 개수만큼 당근을 뽑다 보면 토끼가 퐁 튀어 오르면서 게임이 종료되는 교구입니다. 토끼가 언제 나올지 모르니까 스릴도 있고 집중도 하게 되고 색 인지도 가능하고 '당근 뽑아, 당근 먹어, 토끼 당근 먹어' 등과 같이 어휘 확장에도 사용합니다. 또한, 조음 치료 시간에도 자주 사용하는 교구입니다.

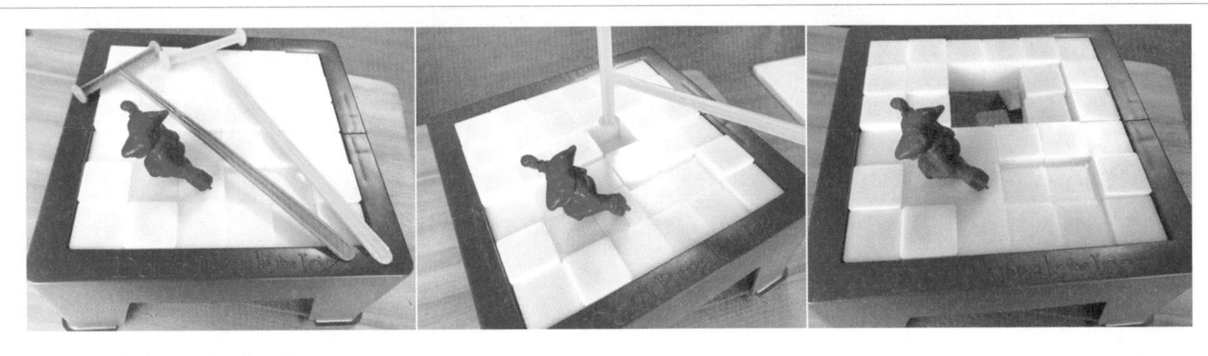

Don't break the ice
가운데 인형이 떨어지지 않도록 단순하게 얼음을 깨면서 놀아도 참 재미있는 장난감이지만 여러모로 쓸모도 많은 장난감입니다. 조음 치료하면서 얼음 위에 목표 음소를 붙여놓고 정조 음하면 깰 수 있도록 해주고 배워야 하는 어휘를 얼음 위에 붙여놓고 같은 방법으로 놀아도 됩니다.

못말리는 휴지통

색 인지할 때 더할 나위 없이 좋은 장난감입니다. 뚜껑이 열렸다 닫히기를 반복하며 정신없이 돌아다니는데 뚜껑이 열릴 때 구겨진 색종이를 넣으면 됩니다. 색종이를 넣기 힘들어하면 색 블록을 넣으면 됩니다. 엄마가 말하는 색 넣어봐~

pig ball

돼지 꿀꿀하면서 연구개음 반복, 돼지머리 누르며 통통 비음 반복으로 조음 치료할 때도 좋지만 게임 자체가 재미있어서 주의를 환기시키거나 집중시켜야 할 때도 좋은 장난감입니다.

 # 배터져 주방장

주로 양순음 /ㅁㅂㅃㅍ/ 연습시킬 때 많이 사용하는 장난감 중 하나입니다. "햄버거 먹어" "배가 빵" 등의 문장을 이용할 수 있습니다. 주사위를 굴려 같은 색의 햄버거를 뒤집어야 하므로 색인지에도 사용하며 햄버거 뒤에 수만큼 주방장의 머리를 눌러야 하기 때문에 수인지에도 사용합니다. 주방장의 머리를 꾹꾹 누르면 배가 뽁뽁 불러지면서 허리띠가 풀어지는데 이때 손이 같이 올라가는지 손이 몇 회 전에 먼저 올라가고 허리띠가 막판에 풀리는지는 아직도 모르겠습니다. 주방장 장난감이 방마다 있는데도 다 달라서 말입니다.

 # 날아라 양탄자
무게 개념을 알게 해주는 장난감입니다. 양탄자와 기둥 사이에 자석이 있어서 양탄자가 공중에 떠 있는 것처럼 보이게 되어 있어요. 아이들의 흥미를 끌 수 있습니다. 보물을 많이 올려놓으면 무게를 못 이기고 양탄자가 밑으로 떨어져요. 양과 무게의 상관관계에 대해 알 수 있습니다.

 # 프랜틱프로그
기둥 안에 파리가 들어 있는데 개구리들이 점프해서 파리를 잡는 게임입니다.
'개굴개굴 개구리 노래를 한다~' 노래에 맞춰 연구개음/ㄱ/ 연습할 때 아주 좋은 장난감입니다. 신나고 티 안 나게 연습시킬 수 있어요.

 # 매직진
장난감이랑 스무고개 한다고 생각하시면 됩니다. 범주가 동물에 한해 있지만 나름 꽤나 잘 맞추는 편입니다. '네, 아니오, 글쎄요' 정도의 말을 알아듣고 반응하고 답을 잘못하면 완전히 다른 답을 내어놓기 때문에 잘 듣고 올바른 대답을 해주는 것이 무척이나 중요합니다. 아이들 다른 사람 말 잘 듣지 않고 자기 할 말만 하는 경우에 굉장히 유용한 장난감입니다. 듣는 데 집중하면서 청각 집중력을 높일 수 있고 문장 이해력도 높일 수 있습니다.

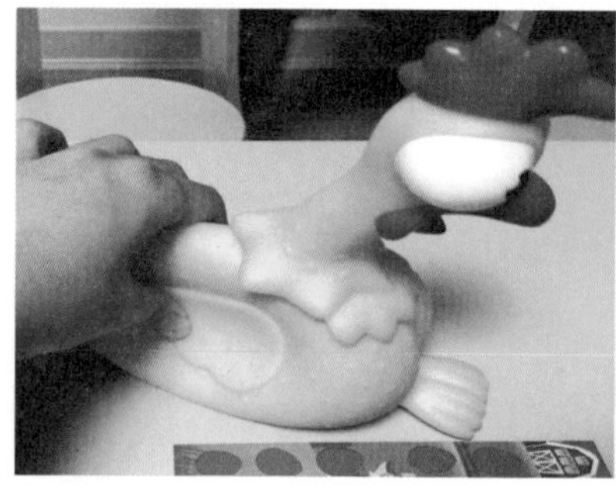
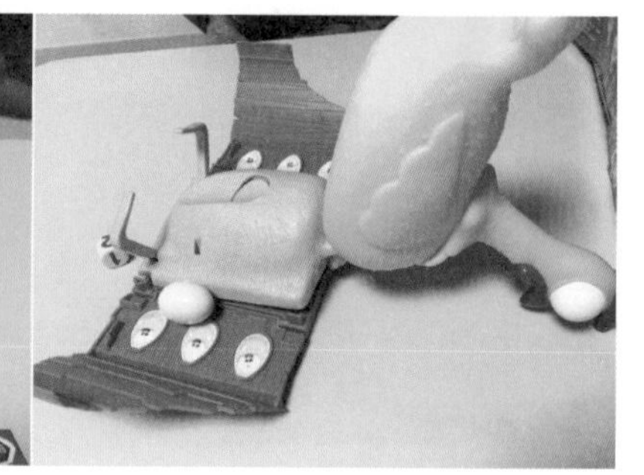

 # 알까닭

실제 닭 울음소리처럼 우렁찬 소리가 나는 장난감인데 알을 밑에 깔아두고 게임을 진행하면 '꼬끼오'하며 엉덩이를 들고 알이 튀어나옵니다.

연구개음 /ㄲ/ 연습시키기 할 때 좋은 교구이고 일단 소리가 나니까 아이들의 관심을 끌 수 있습니다.

 # 꼬마돼지 서커스

색인지에 쓰면 좋고 수 개념에도 탁월한 게임입니다. 또한, 길을 연결해서 만들어야 하므로 구성력을 키우는 데도 좋은 장난감입니다. 돼지들이 서커스 하는 것처럼 쌓으면서 집중력을 높일 수도 있습니다.

 # 모래놀이

단순 표현 어휘 지체이긴 하였으나 거의 무발화였던 아이를 두 달 만에 종결시키게 만든 마법의 모래 놀이! 모래가 그 정도로 아이들에게 좋은 교구입니다. 촉감도 좋고 정서에도 좋아 놀이를 하는 내내 아이의 말을 유도할 수 있습니다. 집에서는 감당이 안 된다고 꺼리는 어머님들 많으신데 요즘 모래 좋게 나옵니다. 옆에 같이 있으면 크게 일 벌어지지도 않고요. 도전해보세요.

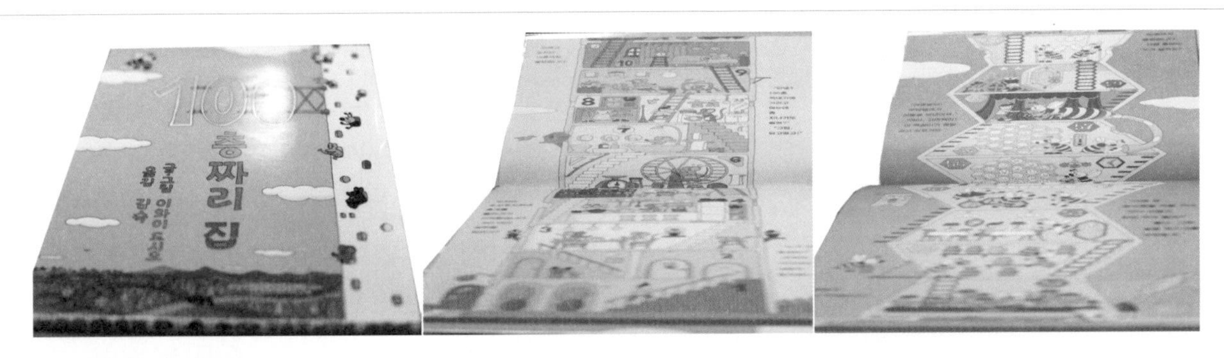

 # 100층짜리 집
'이야기 구성하기' 할 때 많이 사용하는 책인데 100층의 집을 올라가면서 누구는 뭐 하는지 무엇이 있는지 등등 이야기를 꾸며봅니다. 세로로 넘기는 책이라 아이들이 넘기는 자체에 흥미를 느끼기도 합니다.

 # 케이크 소동
개인적으로 좋아하는 책인데 동네에서 소풍 가기로 한 날 케이크가 사라지는 소동이 벌어집니다. 누가 범인인지 케이크를 쫓아가며 케이크의 행방을 추리해보는 재미도 쏠쏠합니다. 주인공들이 누가 있고 뭐 하고 있는지 이야기 나눠보세요.

 # 달라? 달라!
다른 그림 찾기 책입니다. 위 페이지와 아래 페이지에 비슷한 그림이 있지만, 살짝 다른 구석이 있습니다. 어디가 다르고 왜 다른지 설명해보면서 집중력도 키워보고 비교급을 이용한 문장 말하기도 시도해보세요.

 # 뒤죽박죽 그림책
이상한 그림을 찾는 책입니다. 이야기로 구성이 되어 있어 흥미롭고 페이지마다 이상한 그림들이 가득 숨겨져 있습니다. 예를 들면 빨래가 널려있는데 하늘로 솟은 채 널려있다거나 풀에 소시시가 열려있다거나 그런 그림들이 있습니다. 동화나라보다는 사라진 꼬마요정 편이 더 재미있는 것 같습니다.

 # 까꿍
동물들이 손을 내리면 동물들의 얼굴이 나타나는 놀이책입니다. 의사소통 기능 익히기에 적합한 책입니다. 까꿍 소리도 모방할 수 있고요. 동물 이름도 익힐 수 있습니다.

 # 숨바꼭질 공룡, 100
모양이 같은 공룡도 찾아야 하고 큰 그림 안에 숨어 있는 여러 공룡을 찾기도 해야 합니다. 신문에서 자주 보던 숨은 그림과는 약간 차이가 있고 그림이 아기자기 예뻐서 아이들이 좋아합니다. '같다/다르다' 개념, 수 개념, 집중력 등에 좋은 책입니다.

 # 수잔네의 봄
병풍처럼 펴지는 책으로 4계절에 대한 이야기가 담겨 있습니다. 책을 펴고 가운데 아이와 함께 앉으면 이야깃거리가 많이 생기는 책입니다.

 # 글자 없는 그림책
그림만 있는 책입니다. 글자가 없어서 아이에게 이야기를 만들어보게 할 수 있는데 생각보다 어렵습니다. 그림이 스토리를 표현해주고 있지만 그것을 아이 스스로 말로 표현해야 하니까요.

 # 머리가 좋아지는 그림책
글자 없는 그림책과 비슷한 책입니다. 조금 더 위트가 있는 듯합니다.

뚱이쌤의 교구 사용하기

뚱이쌤의 손을 거쳐 많은 교구가 출시되었습니다. 뚱이쌤은 직접 만든 교구를 어떻게 사용하는지 직접 보여 드릴께요. 계속 좋은 교구를 출시할 수 있도록 관심 부탁드려요.

 # 우리동네

우리동네를 꾸며보며 누구, 무엇, 어디에 해당하는 닫힌 질문에 단답형으로 대답할 수 있도록 최적화되어 있는 교구입니다. 물론 문장활동에도 활용할 수 있습니다.

"아프면 어디 가지?" "병원."

"병원에 가면 누가 있지?" "의사, 간호사, 아픈 사람들."

"병원에 가면 무엇이 있지?" "청진기, 주사기, 침대, 차트."

자석으로 되어 있는 그림카드를 원목에 붙이면서 활동하고 카드가 다 붙은 원목을 보드에 구성하면 됩니다. 구성할 때 원목 위에 원목을 쌓아 놓으면 빌딩을 만들수도 있고 "우체국 뒤에는 뭐가 있지?" "병원."과 같이 위치에 대한 질문도 할 수 있습니다. 보드를 이용하지 않고 동네 그림이 있는 매트와 호환해서 사용해도 좋습니다.

 # 늘리미카드 1, 2

4~6세 아동들이 사용하는 동사 중 빈도가 높은 동사로 구성하였습니다.

문장으로의 확장이 어렵고 서술표현이 어려운 아동들에게 사용할 수 있는 교구입니다.

인물이 있는 돌림판과 동사 표현이 있는 돌림판 중 하나를 골라 두 개의 돌림판을 놓고 게임을 합니다. 카드는 동사 표현 돌림판에 해당하는 그림카드를 꺼내 책상에 펼쳐놓으면 됩니다.

돌림판 두 개를 동시에 돌려나오는 그림들이 합쳐져 있는 그림이 있는 카드를 먼저 찾아 문장으로 제대로 표현하면 카드를 획득합니다. 카드를 많이 획득한 사람이 이기겠죠?

 # 3단계 이야기 퍼즐 1, 2

원인, 결과에 맞춰 시간적 배열에 맞춰 3컷으로 그림을 나눠놨습니다. 우선 실패를 느끼지 않도록 퍼즐 형식으로 구성되어 있어 실패 없이 이야기를 구성할 수 있습니다. 퍼즐을 완성하면 이야기를 만들면 되는데 이때 "집이 무너졌어. 왜 무너졌지?" 식으로 질문하셔도 되고 "두더지가 자꾸 땅을 파네. 어떻게 될까?" 식으로 질문하셔도 됩니다. <3단계 이야기 퍼즐 1>은 스마트폰 앱으로도 출시되었습니다.

 # 후후

잃어버린 토끼의 얼굴 반쪽을 찾아서 나열하면 되는 교구입니다. 토끼의 반쪽 얼굴을 찾으며 집중력, 관찰력을 키울 수 있고 구성력도 높일 수 있습니다. 또한, 토끼의 얼굴을 다 찾아서 연결한 후 '안경 쓴 토끼는 어디 있어?'라는 질문을 통해 청각 집중력도 높일 수 있고 아이가 토끼의 생김새를 설명하게 하면서 문장 구성 능력도 키워줄 수 있습니다.

 # 쌤쌤

일상에서 볼 수 있는 물건들과 모양을 매치해보는 교구입니다. 모양 카드와 그림카드 중 아무거나 책상 위에 놓고 시작합니다. 모양 카드 중 제시한 모양이 세모면 그림카드 중 세모 모양을 한 그림을 찾아서 모양 카드 주변에 놓습니다. 다음 사람이 찾을 모양 카드를 그림카드 주변에 놓으면 다음 사람은 같은 모양의 그림카드를 찾아 전 사람과 같은 방법으로 연결합니다.

 # 끼리끼리

범주화하는 교구입니다. 동물, 교통수단, 식물, 옷장/신발장에 들어 있는 것들 등 상위 범주에 대한 저금통이 있고 그 안에 해당하는 하위 범주어를 채워 넣으면 됩니다. 아이들이 쉽게 알 수 있도록 카드의 뒷면에 상위범주어 그림이 그려져 있어 난이도 조절이 가능합니다.

 # 필필링즈1, 2

그림이 특히 예쁜 교구입니다. 그림을 보면서 자신이 느끼는 감정, 상태, 이야기 등을 마음대로 하면 됩니다. 사랑, 이별, 환경오염, 두려움 등 여러 주제가 1, 2에 나뉘어 구성되어 있습니다. 상자를 원목으로 만들어 액자처럼 장식할 수도 있습니다.

 # <조음시리즈> 야미야미, 뛰뛰빵빵, 룰루랄라

조음 치료할 때 사용하는 교구입니다. 대표로 <야미야미>에는 /ㄱ,ㄲ,ㅋ/ 연구개음을 연습할 수 있도록 단어들이 구성되어 있는데 마귀 할망구 판에 단어카드를 채워 넣으면 되는 게임형 교구입니다. 3가지 모두 놀이 방식은 같고 구성된 음소는 다릅니다.

 # 헛둘
"구강운동 시켜 주세요" 하면 구강운동을 어떻게 해야 할지 막연해하시는 분들을 위해 카드의 그림을 보며 쉽게 하실 수 있도록 구성한 교구입니다. 간단한 구강운동 놀이도 들어 있습니다.

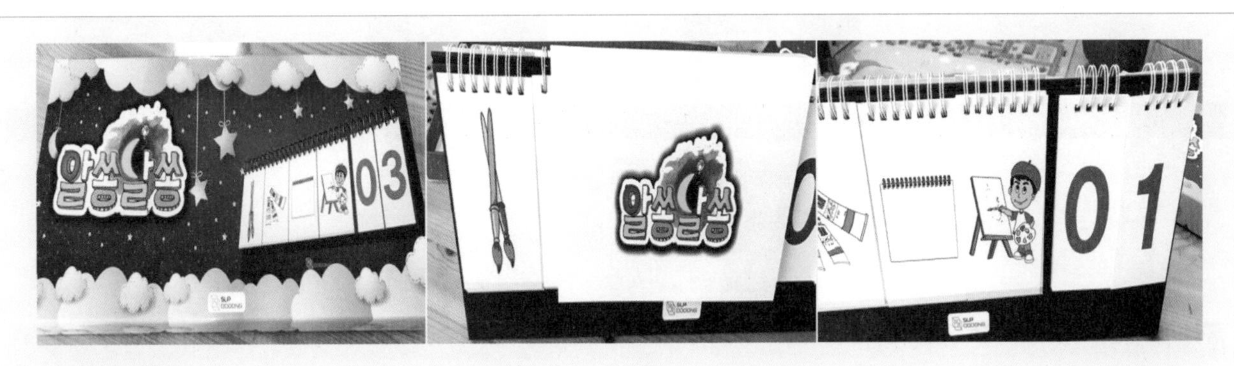

 # 알쏭달쏭
단서들을 차례로 보면서 무엇을 할 때 사용되는 물건들인지 맞춰보는 게임입니다. 달력처럼 생긴 단서 카드와 가림막이 들어 있습니다. 가림막을 이용해 다른 그림은 보이지 않도록 해주시고 맨 앞에 있는 그림부터 보여주시면서 “이건 뭐지?” “뭐 할 때 쓰는 물건일까?”라는 질문을 하시면 됩니다. 첫 번째 단서에서 정답을 말하면 3점, 두 번째 단서에서는 2점, 마지막 단서에서는 1점을 주시면 됩니다.

뚱이쌤네 제품들

www.slpddoong.com / 070-7675-6636

**SLPDDOONG의 교구는
계속 출시됩니다.**

WORKBOOK

<활용집>

엄마도 언어재활사

WORKBOOK

-차례-

엄마도 언어재활사

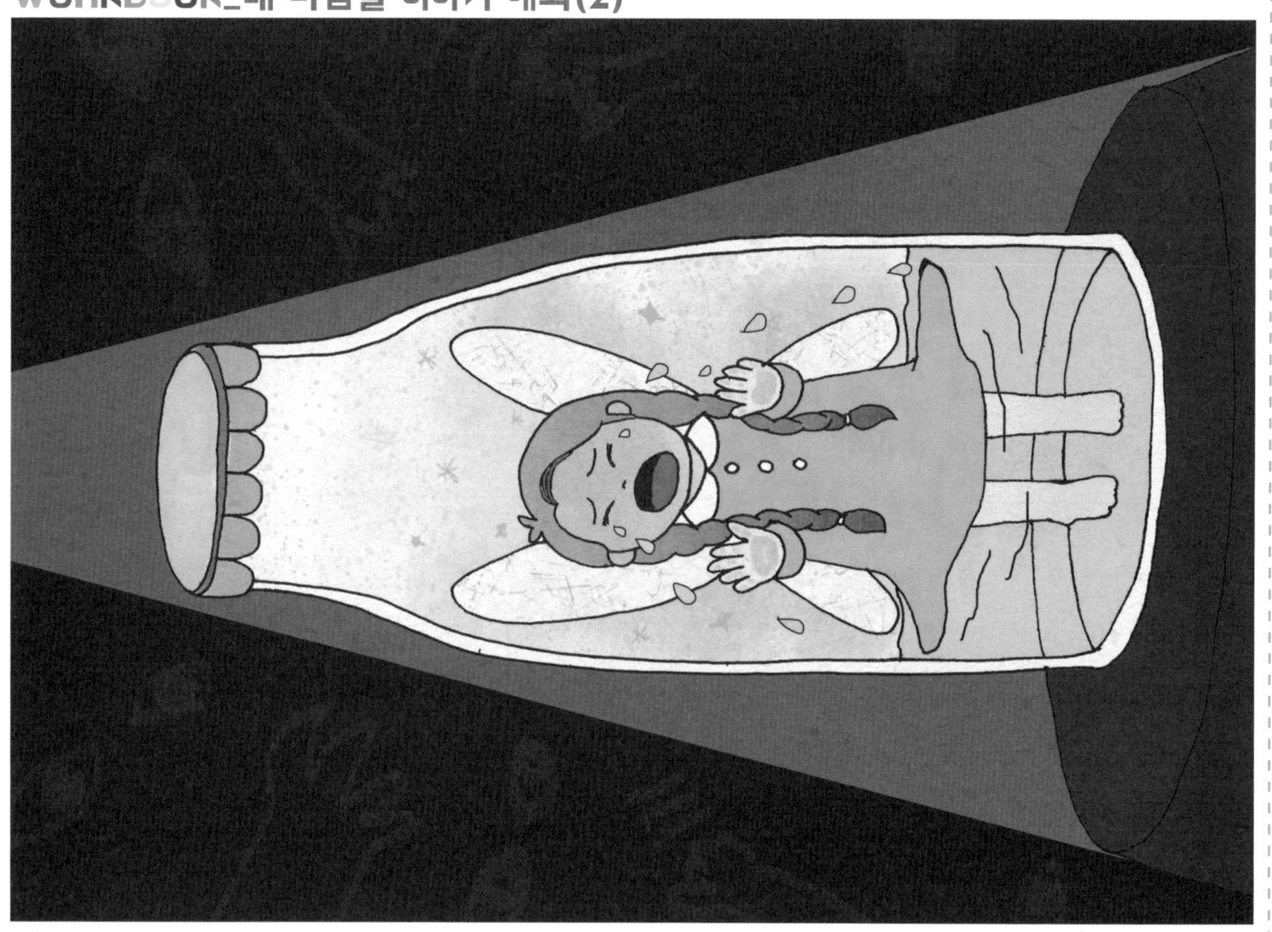

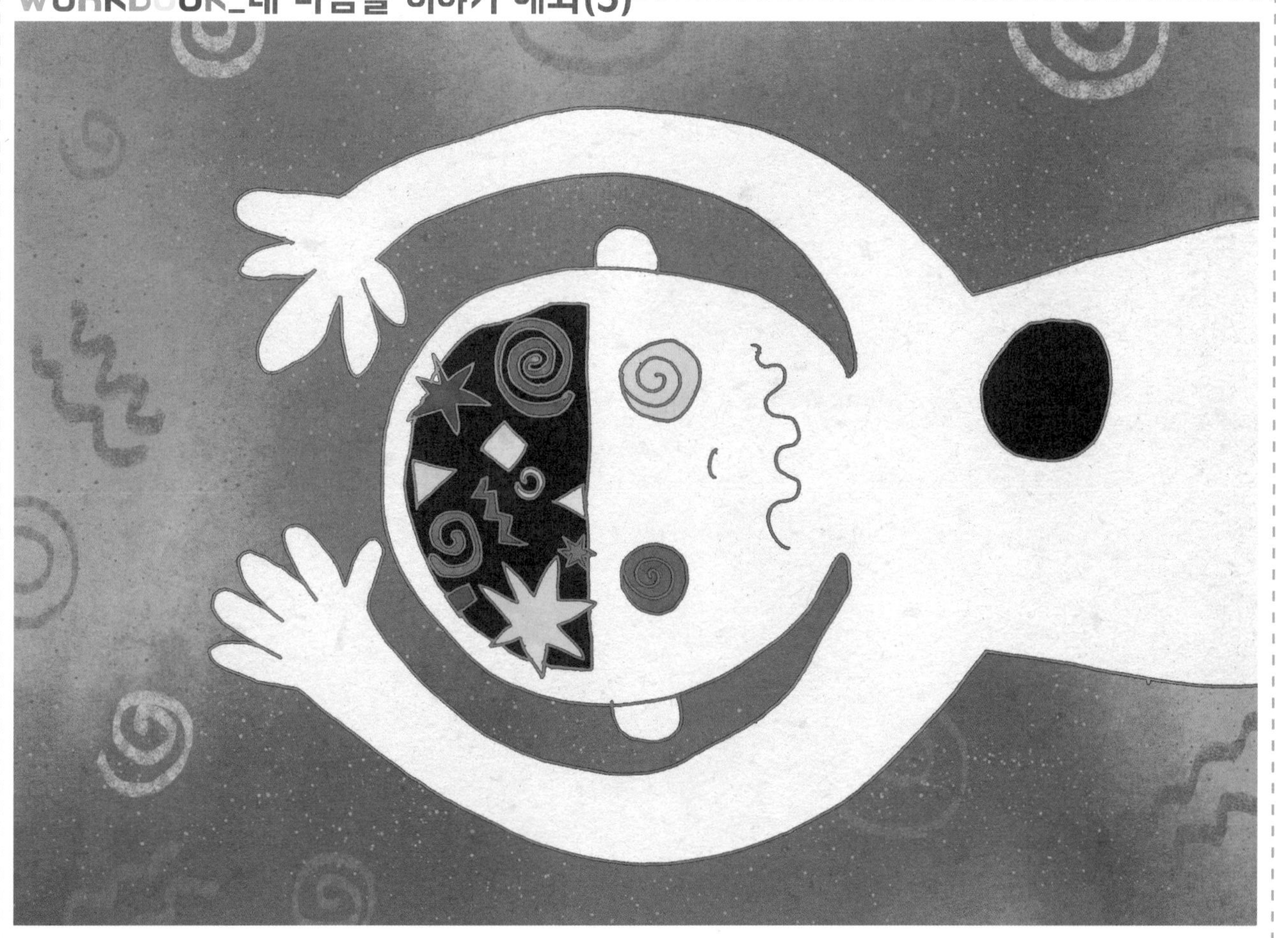

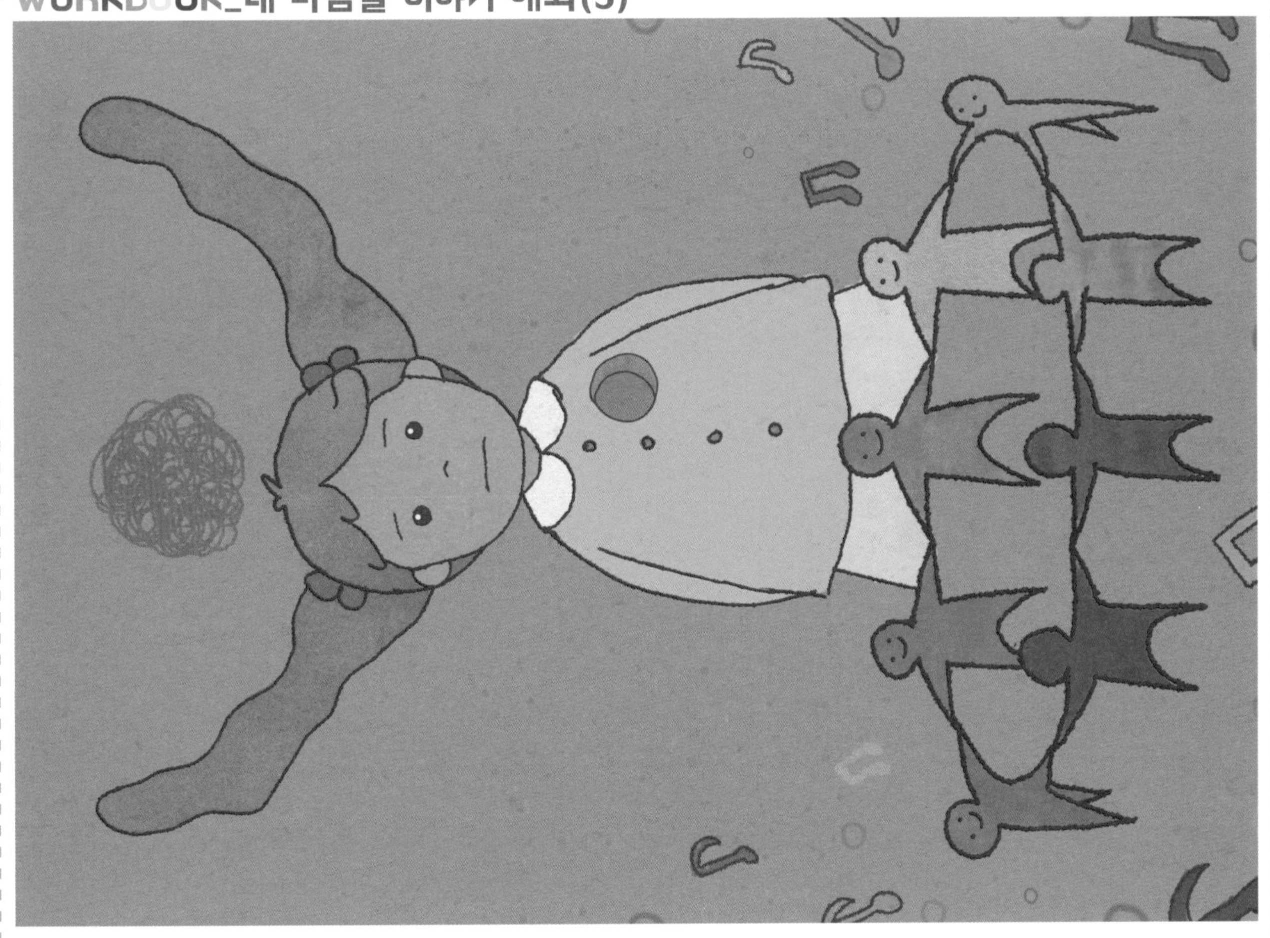

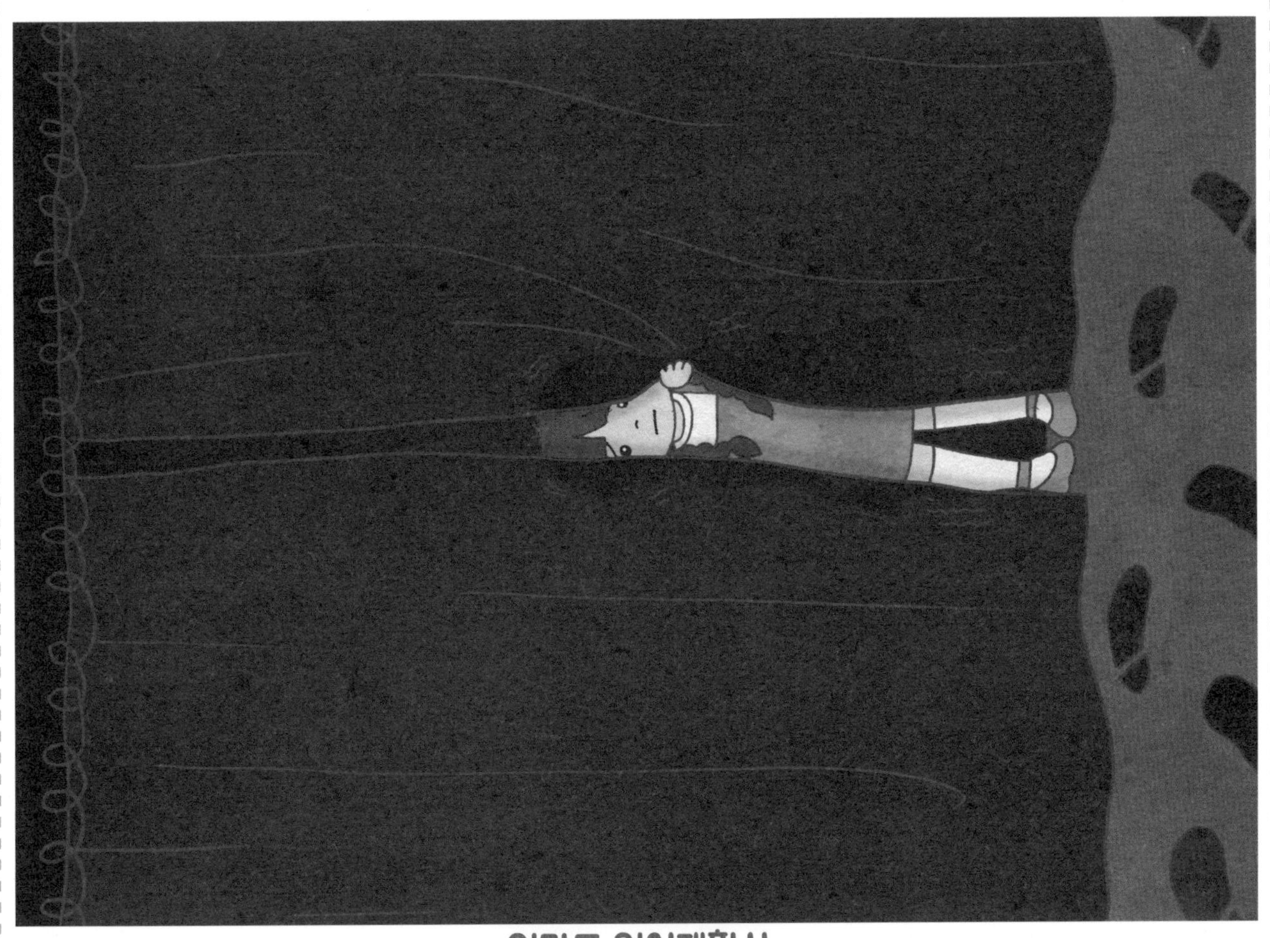

부웅~
TAXI

지각이다!

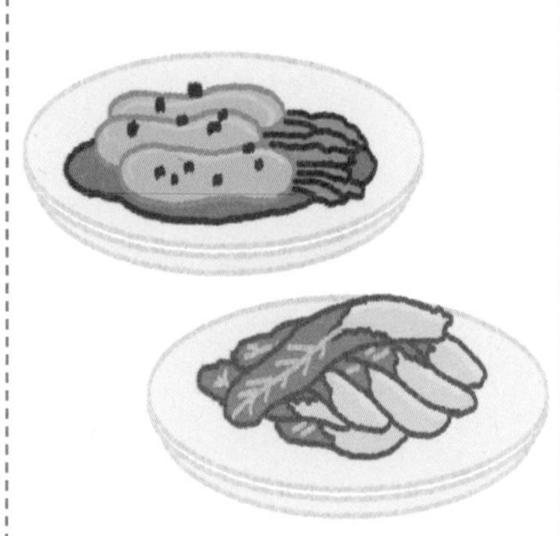
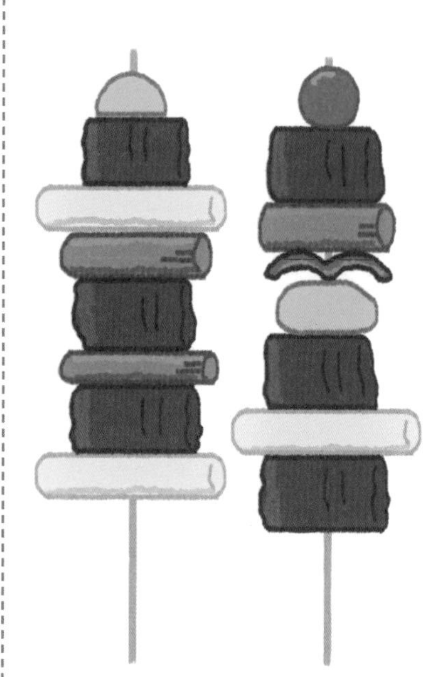

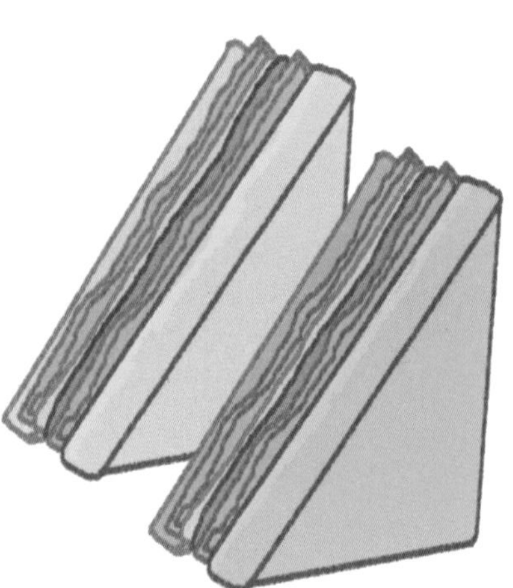
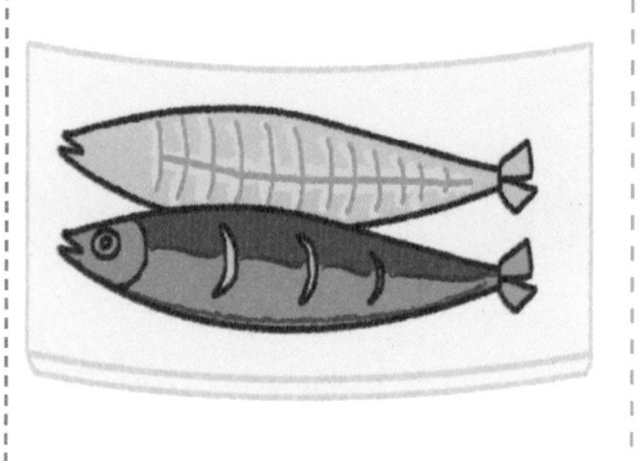
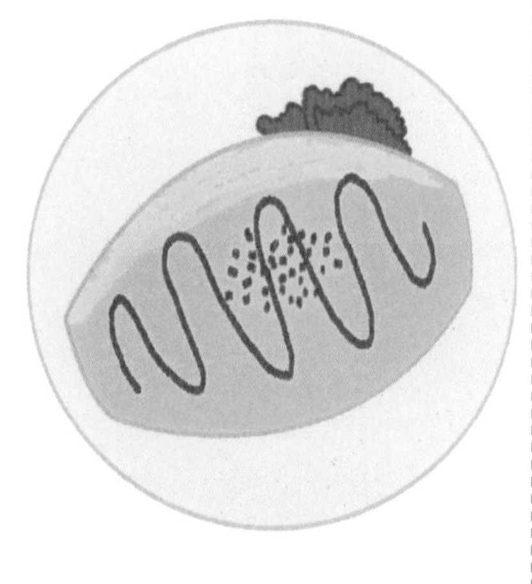

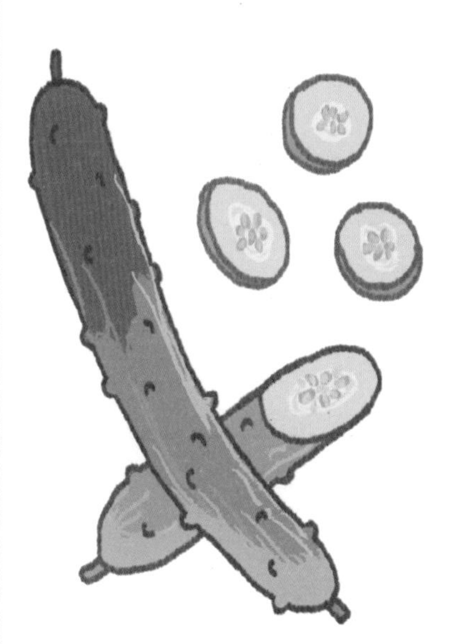

엄마도 언어재활사

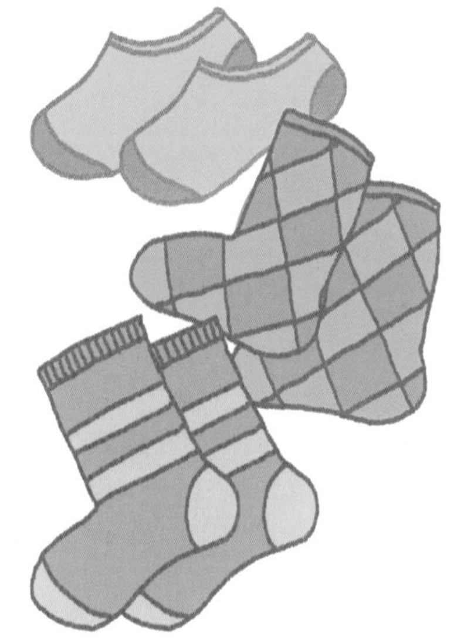

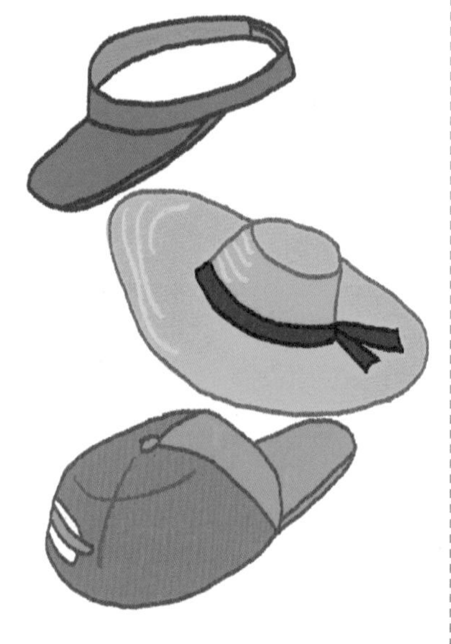

엄마도 언어재활사

POLICE

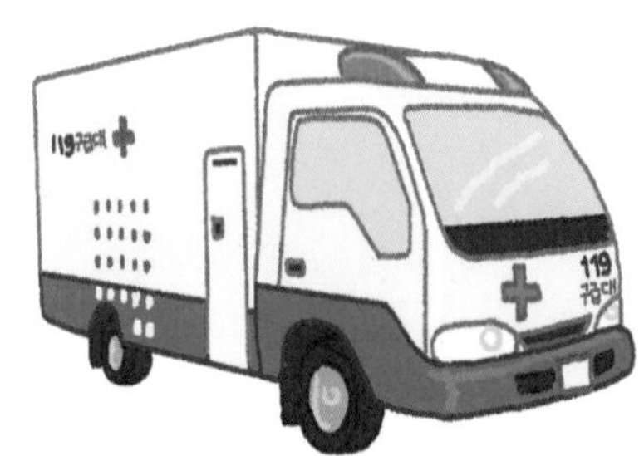
119
구급대

123

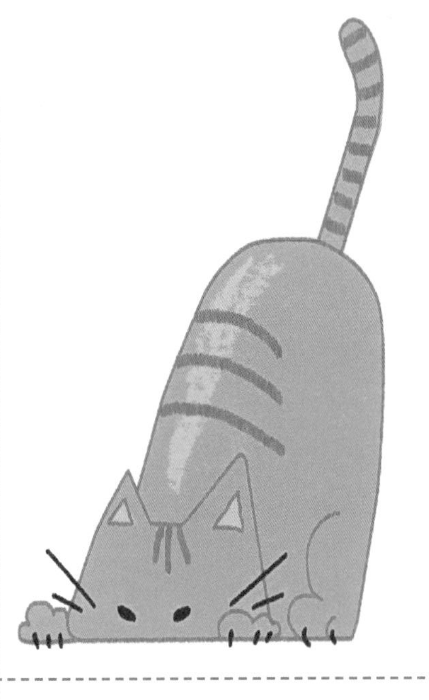

WORKBOOK_다른 그림 찾기(1)

OO 우유
OO우유

A

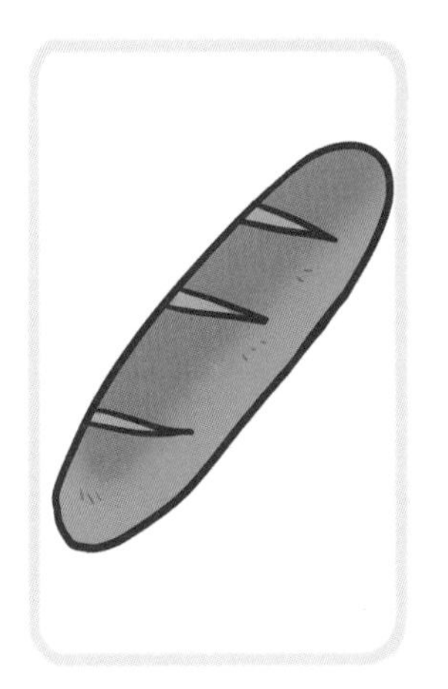

WORKBOOK_다른 그림 찾기(4)

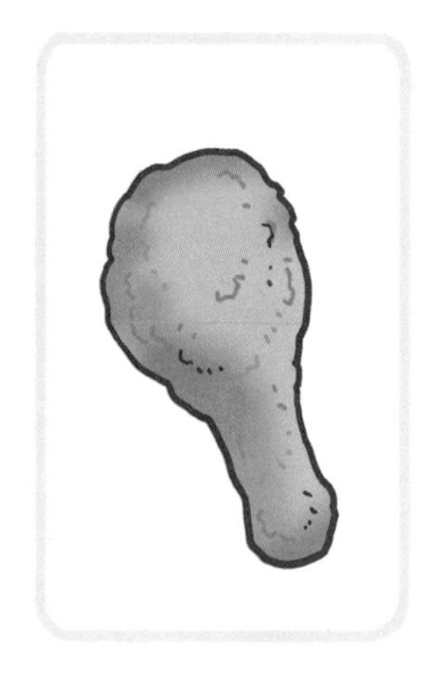

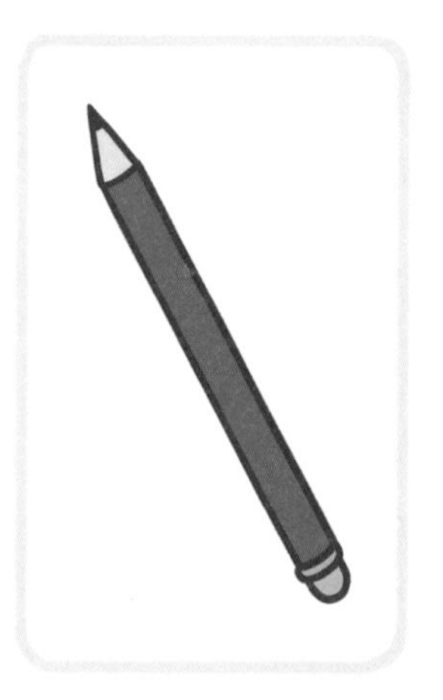

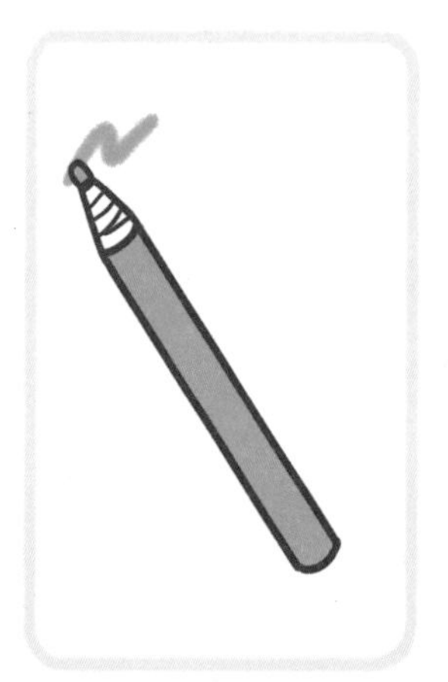

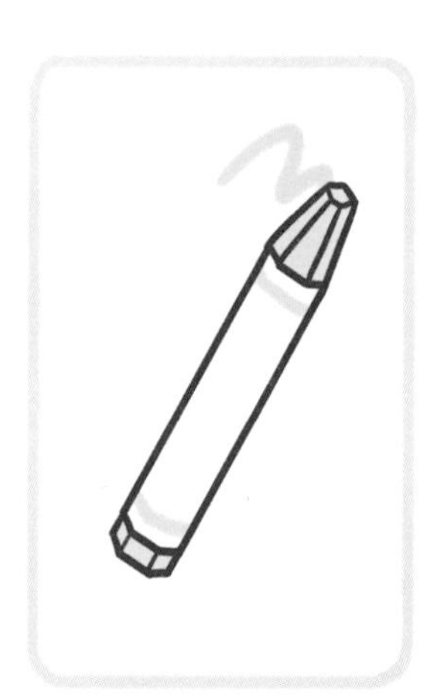

WORKBOOK_길다/짧다(1)

WORKBOOK_따라그리기(2)

WORKBOOK_다른 그림 찾기(2)

WORKBOOK_제일 커, 제일 작아(1)

WORKBOOK_제일 커, 제일 작아(2)

ABC
ABC

12
1
2
3
4
5
6
7
8
9
10
11

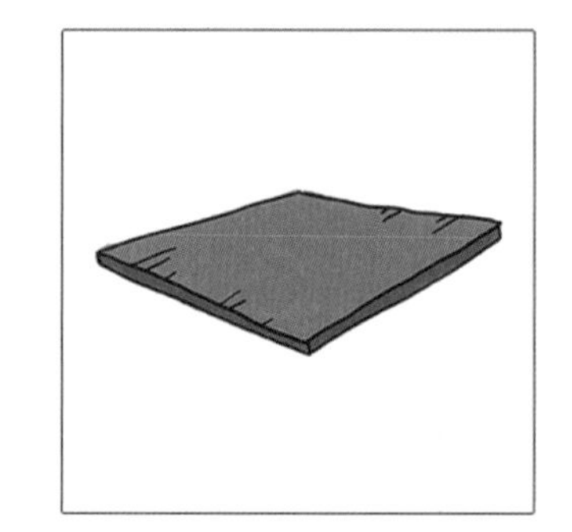

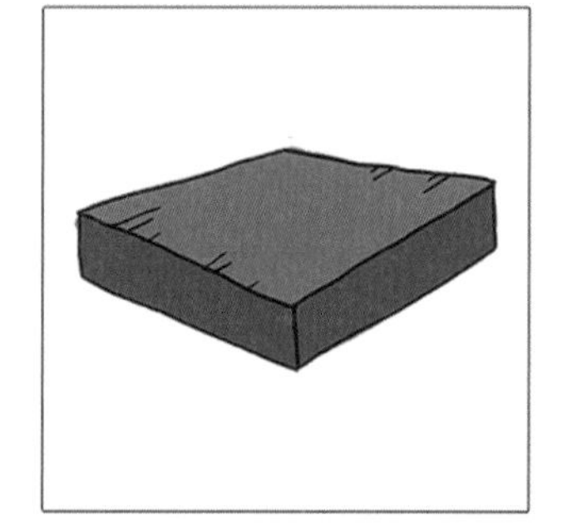

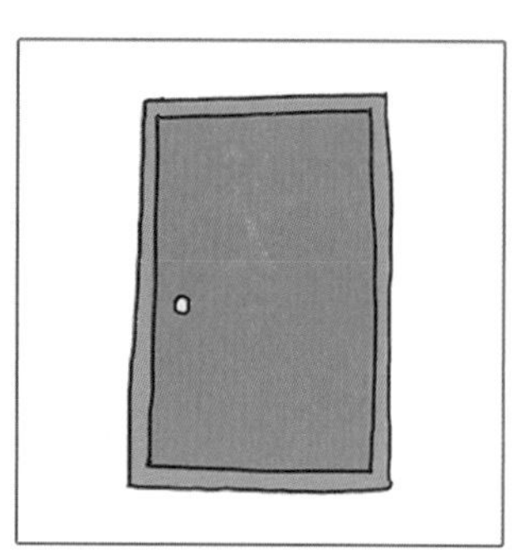

쉿!

1+1=?

꼬르륵

영차
영차

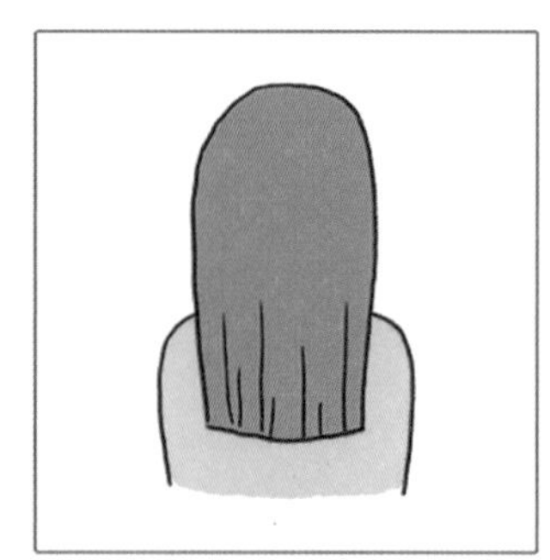

WORKBOOK_몬스터(1)

  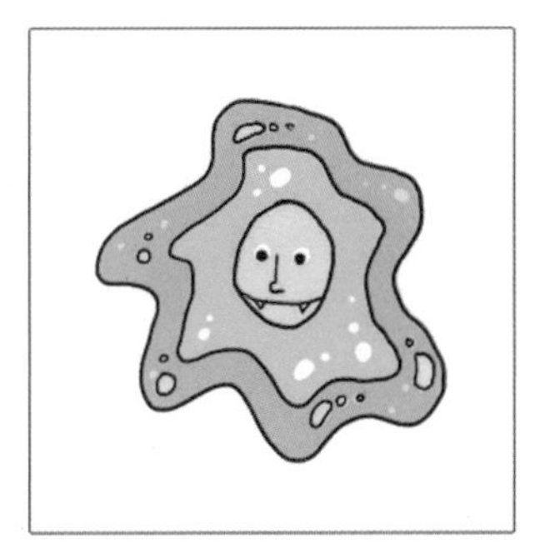

메에~
메에~
메에~
메에~
메에...

경찰

계산원

친구들

경찰서

대형마트

놀이터

경찰차

카트

시소

총

냉동식품

그네

수갑

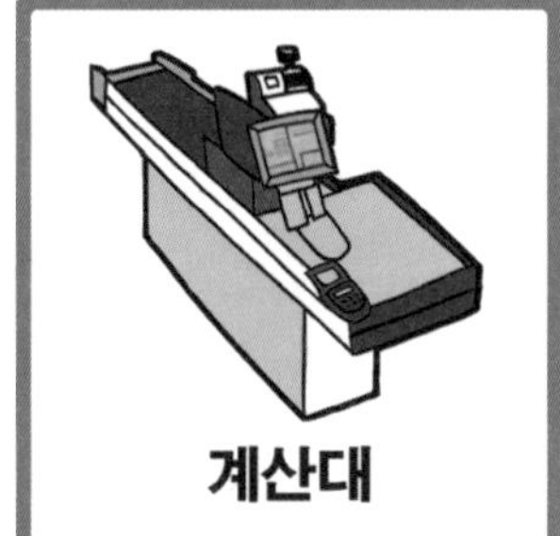
계산대

미끄럼틀

의사&간호사

소방관

미용사

병원

소방서

미용실

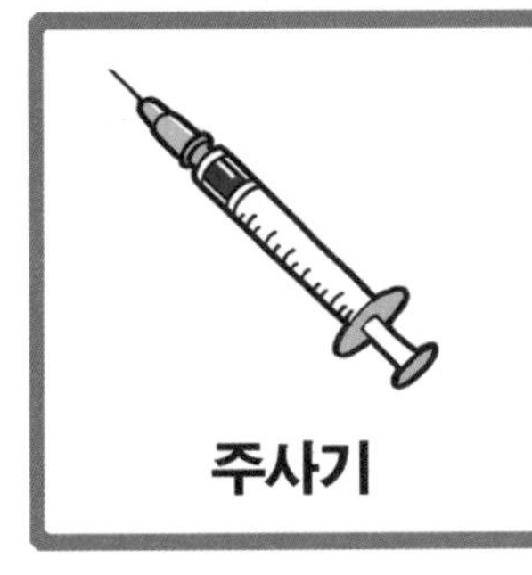
주사기

사다리

가위

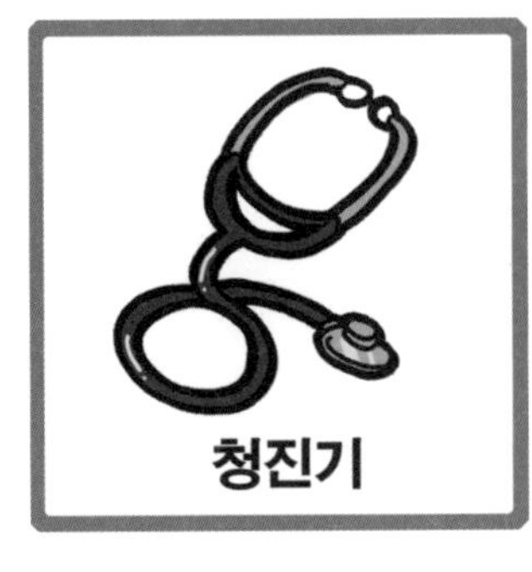
청진기

소방차

화장대

환자침대

소방호스

샴푸&린스

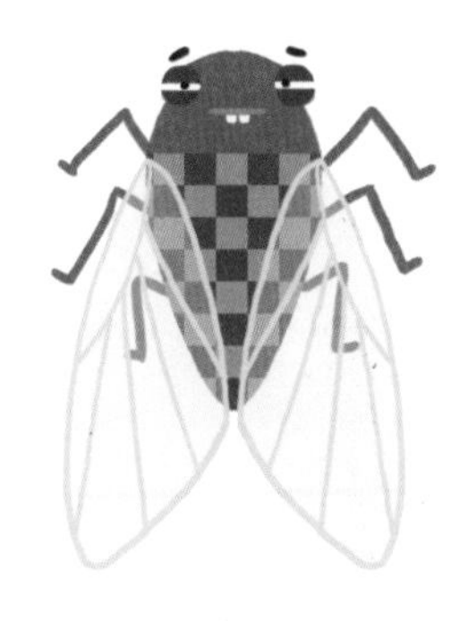
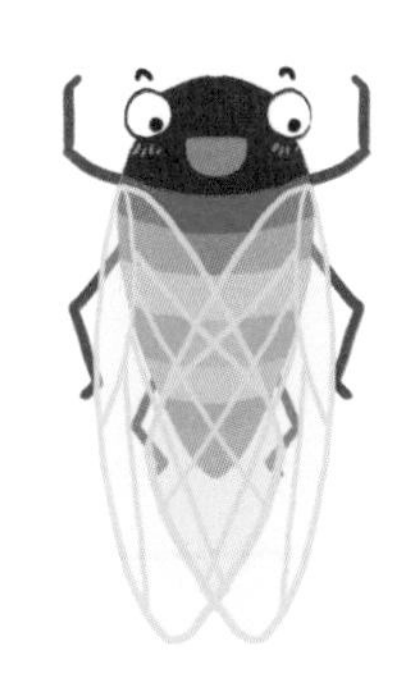
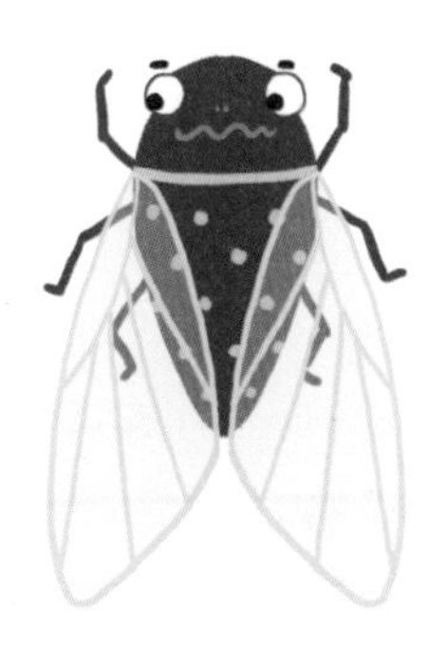
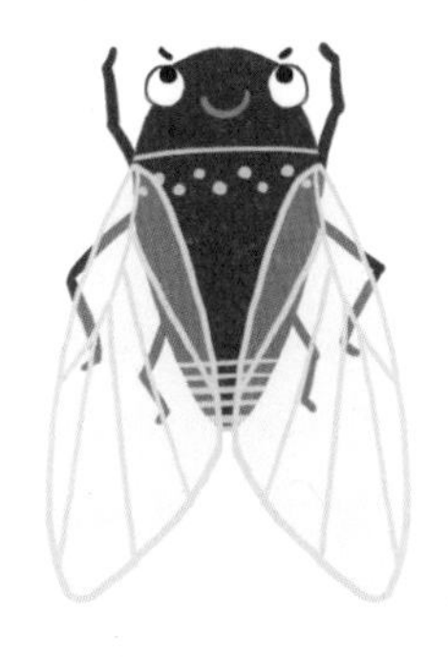
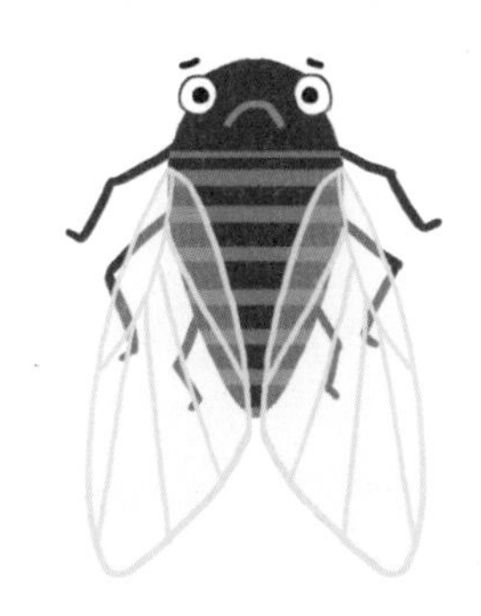
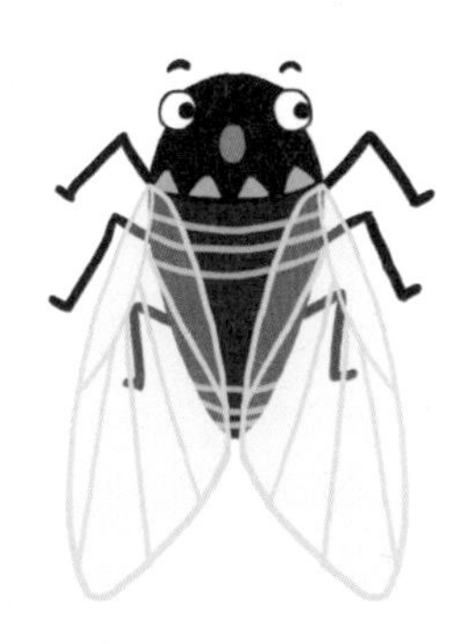

WORKBOOK_손가락인형_동물(B)

엄마도 언어재활사

WORKBOOK_손가락인형_가족(B)

엄마도 언어재활사

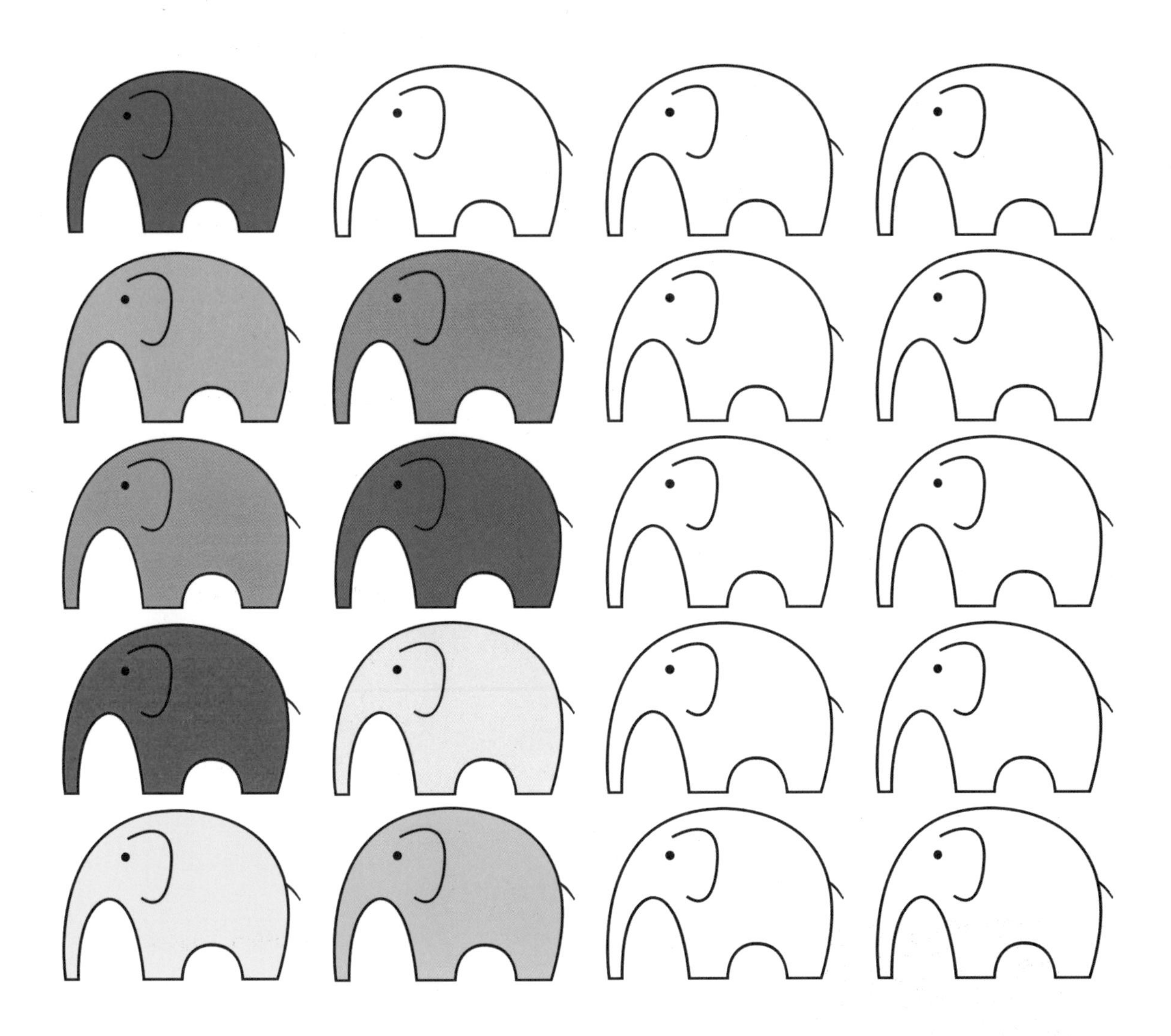

우유

보리
뚱이샘
라면

친환경
소금

WORKBOOK_장보고 정리하기: 집1
PHOTO
엄마도 언어재활사

오늘의 날씨

엄마도 언어재활사

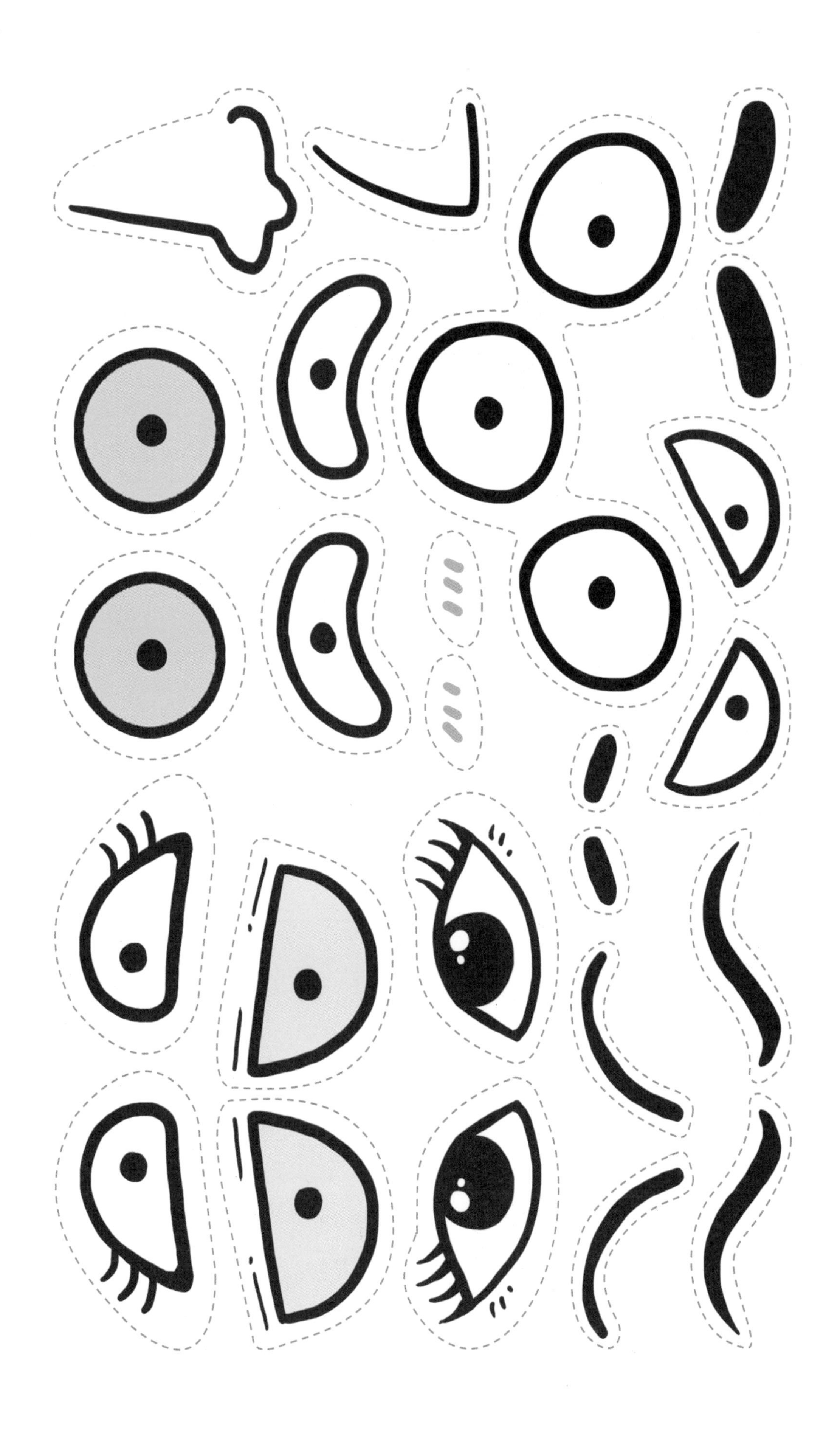

ㄱㄴㄷㄹ

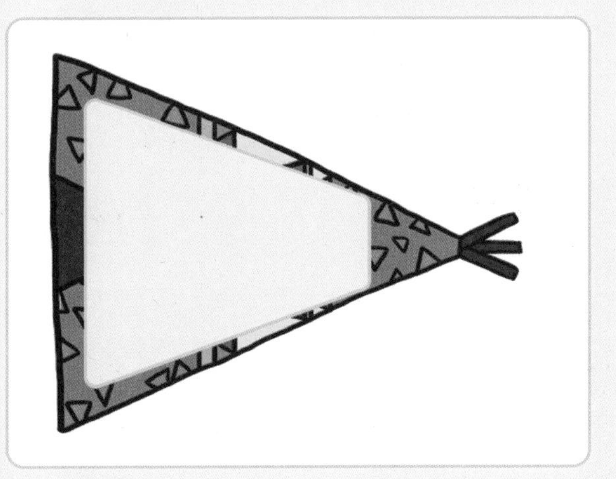

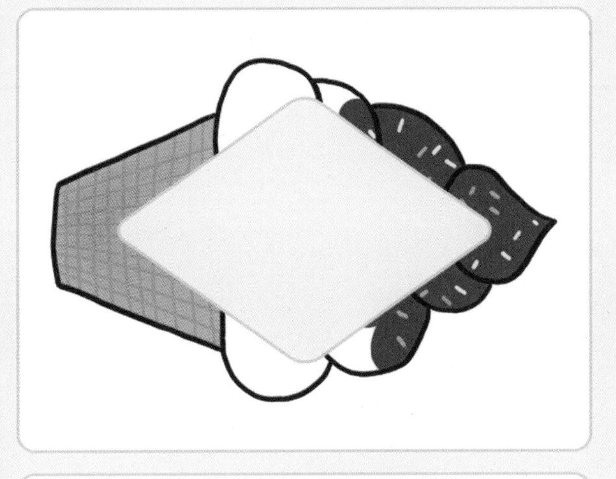

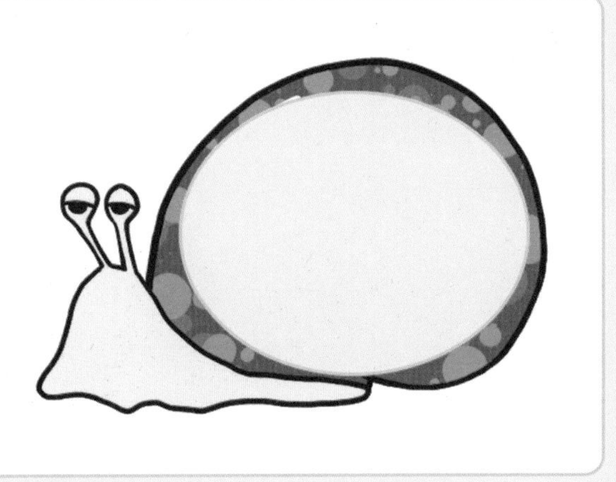

엄마도 언어재활사

c

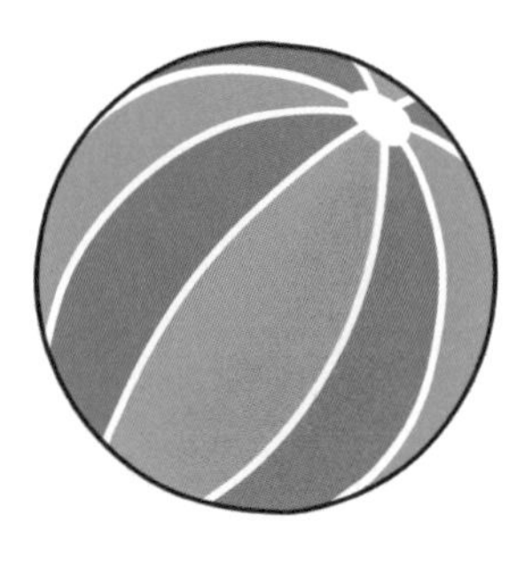

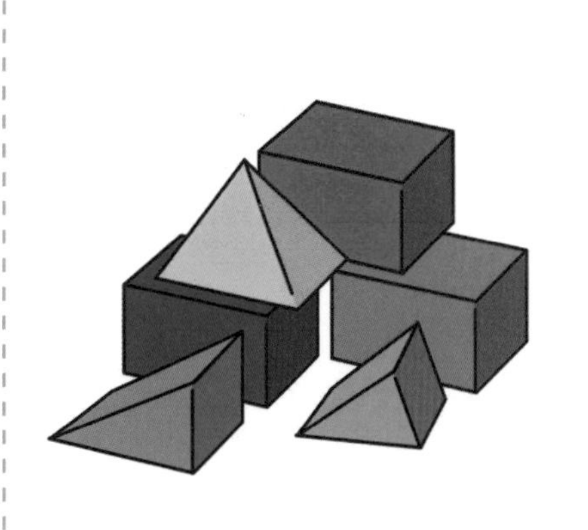

WORKBOOK_물건 찾아오기: 2

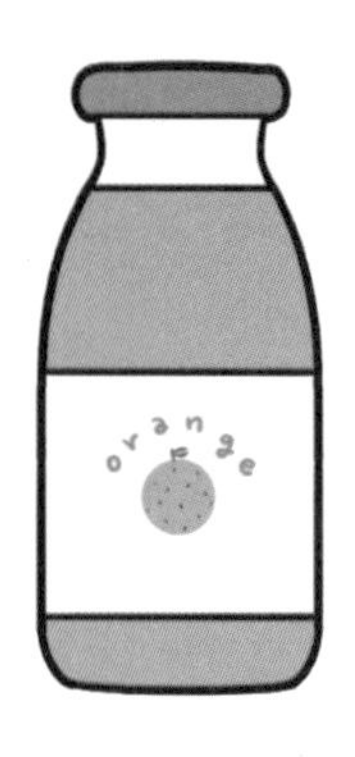

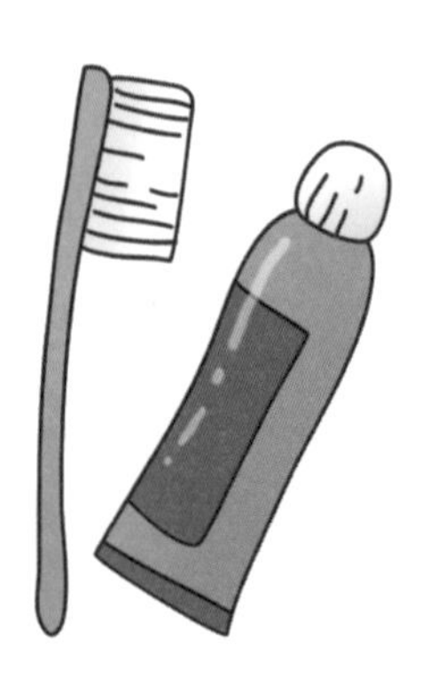

엄마도 언어재활사

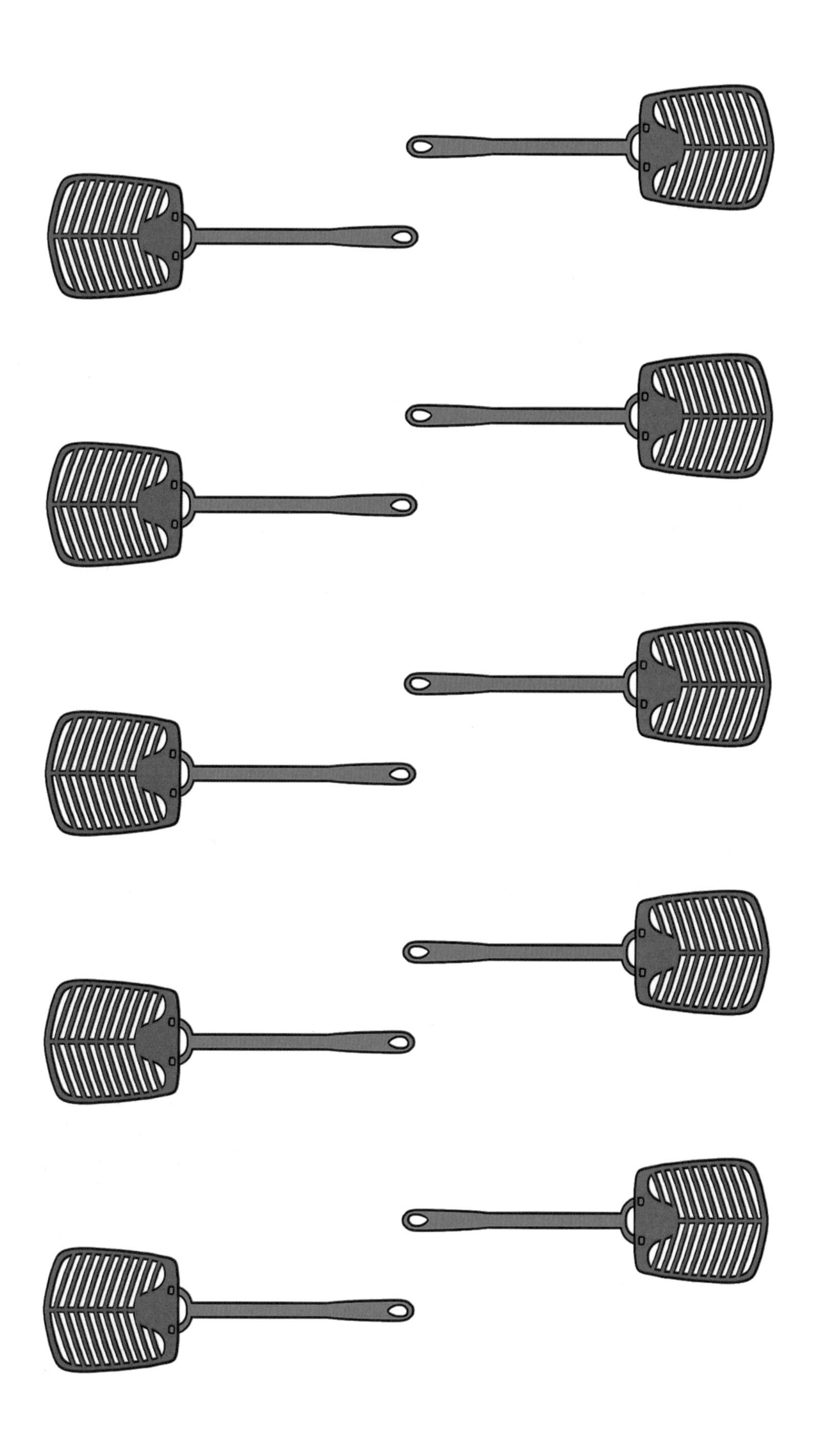

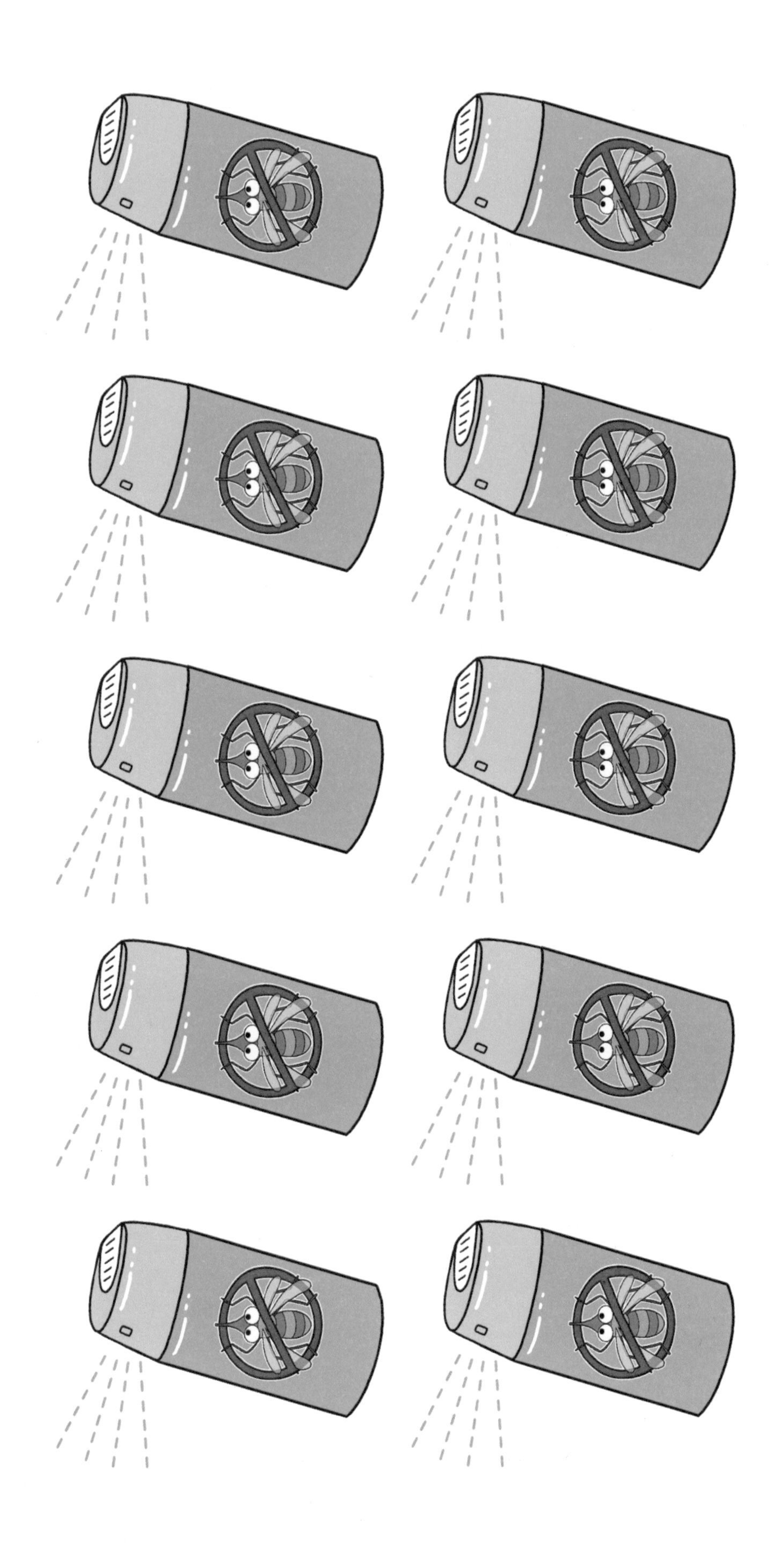

SLP DDOONG

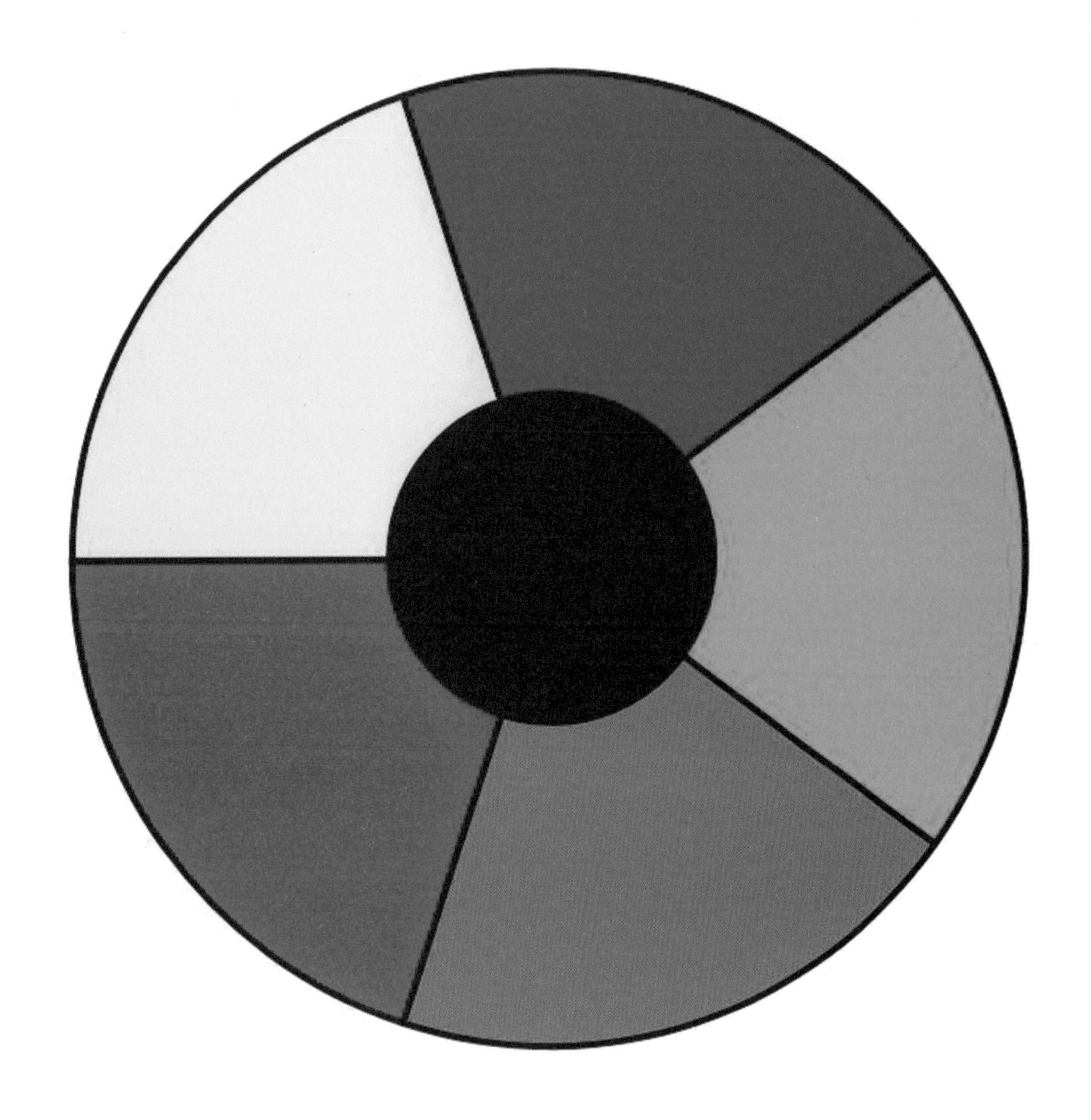

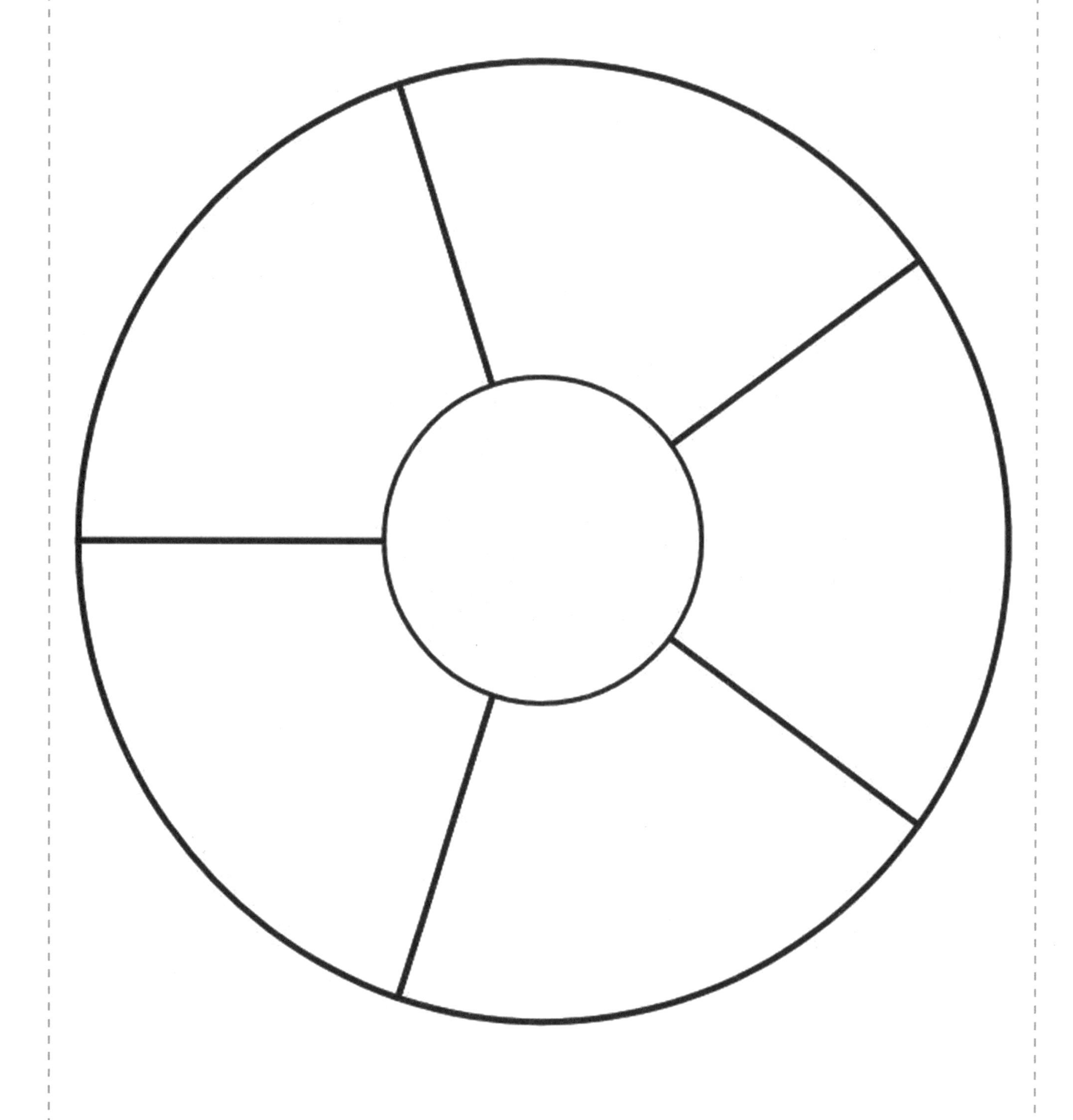

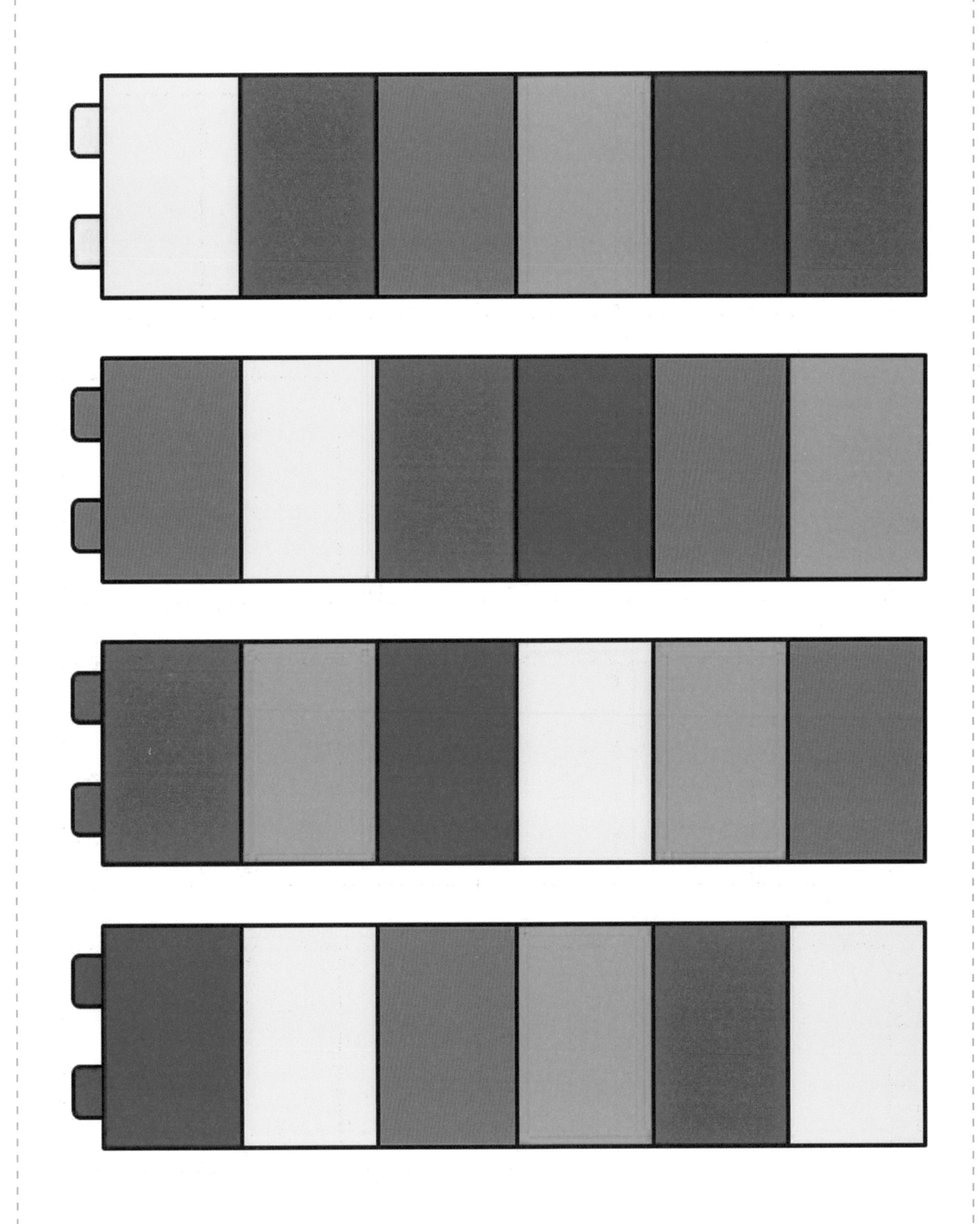